EL TINTERO

—

MISERERE PARA MEDIO FRAILE

Carlos Muñiz

CARLOS MUÑIZ

EL TINTERO
y
MISERERE PARA MEDIO FRAILE

Edición de
María Luisa Burguera Nadal
profesora de la Universidad
"Jaime I" de Castellón

Ediciones Colegio de España

Director de Biblioteca Hispánica:
Profesor Antonio Carreño, Brown University

• Orla amarilla: Edad Media
• Orla azul: Siglo XVI y XVII
• Orla roja: Siglo XIX
• Orla verde: Siglo XX

Ilustración de cubierta:
Concepción Adán Colis

Editor: José Luis de Celis
EDICIONES COLEGIO DE ESPAÑA
Institución dedicada a la enseñanza y promoción de la Lengua Española
y de la Cultura Hispanoamericana
C/. Compañía, 65
Tel. (923) 21 47 88
Fax (923) 21 87 91
37008 Salamanca (España)

Printed in Spain - Impreso en España
ISBN: 84-86408-71-7
Depósito legal: S. 990 - 1997

Imprime: Gráficas VARONA
Polígono "El Montalvo", parcela 49
Tel. (923) 19 00 36 - Fax (923) 19 00 27
37008 Salamanca

ÍNDICE

«El escritor comprometido critica de frente, con dureza, con crueldad si es preciso.
Es la única forma de criticar.
Lo demás son paños calientes.
Y ganas de que todo siga igual.»

CARLOS MUÑIZ

Introducción

I. BREVES DATOS BIOGRÁFICOS

Carlos Muñiz Higuera nació en 1927, en Madrid. Terminó el bachillerato, y a los dieciocho años obtiene una plaza en el Ministerio de Hacienda y es destinado a Bilbao. En 1949, dos años más tarde, comienza a estudiar Derecho en la Universidad Central. Es trasladado a Toledo. Permanece allí hasta 1952 año en el que regresa a Madrid.

En 1955 estrena *Telarañas*, en el teatro Lara, y escribe *El grillo*. Ese mismo año obtiene el premio de Teatro Nacional de Cámara y Ensayo. Un año más tarde, en 1956, escribe dos obras inéditas, *En silencio* y *Villa Denaria*.

En 1957 tiene lugar el estreno de *El grillo*, en el teatro María Guerrero. Escribe entonces *El precio de los sueños* y la inédita *Ruinas*.

Ingresa al año siguiente en Televisión Española como Jefe de Programas dramáticos y logra dos premios, el Carlos Arniches por *El precio de los sueños* y el Premio del Círculo Catalán por su drama *Ruinas*, que se estrenaría un año después en el Círculo Catalán.

Contrae matrimonio en 1959 con Paula y comienza a trabajar en Radio Juventud. Nace su hijo Carlos. Al año siguiente deja de colaborar con la radio y escribe una obra infantil, *El guiñol de Don Julito*.

En 1961 tiene lugar el estreno de *El tintero*, en el teatro Recoletos de Madrid; se estrenará igualmente en Lisboa y Montevideo. Nace por entonces su hija Paloma.

También en 1961 aparece publicado *El tintero* en *Primer Acto* y *El guiñol de Don Julito* en la Editorial Doncel. Ese mismo año escribe *Un solo de saxofón* y *Las viejas difíciles*. Al año siguiente se estrena *El tintero* en el teatro de las Naciones de París.

Los estrenos se suceden: en 1965, en el teatro del Príncipe de Alicante se estrena *El caballo del Caballero* y escribe *La pirámide*. Al año siguiente se estrenan obras escritas hacía algún tiempo; así *El precio de los sueños*, y *Las viejas difíciles* en el teatro Beatriz de Madrid. Aparece ese mismo año, 1966, *Miserere para medio fraile*. Hasta 1969 no se publica *Los infractores*. Carlos Muñiz continua trabajando en el Ministerio de Hacienda y también en Televisión Española.

En 1972 escribe la *Tragicomedia del serenísimo príncipe Don Carlos* que no aparecerá hasta 1974. En 1975 escribe "Carta a los vencedores", una especie de ensayo biográfico; tres años más tarde, en 1978, aparece la versión para televisión de *El tintero*. Durante sus últimos años escribe obras inéditas que presentan dificultades para su puesta en escena.

Toda su producción deja ver la personalidad de un Carlos Muñiz anárquico y poeta, amante de la libertad, enemigo de las estructuras cerradas, para el que la vida fue ese algo misterioso capaz de mezclar, de unir, lo grotesco y lo dramático, para el que el teatro fue, como para todo buen dramaturgo, la manera de vivir otra existencia tal vez más intensamente que su propia realidad.

II. LA OBRA DRAMÁTICA DE CARLOS MUÑIZ: EL DIFÍCIL CAMINO DEL NATURALISMO AL EXPRESIONISMO ESPERPÉNTICO

1. La presencia del naturalismo

En el teatro de Carlos Muñiz se suelen señalar dos grandes etapas: una primera realista y otra posterior expresionista. Francisco Ruiz Ramón [1] señala las fechas de redacción e incluye en la primera a *El grillo* (1955) y *El precio de los sueños* (1958), y en la segunda a *El tintero* (1960), *Un solo de saxofón* (1961) y *Las viejas difíciles* (1962) entre otras. Un tercer momento estaría representado por la *Tragicomedia del serenísimo Príncipe Don Carlos* (1972). Otras obras anteriores son *Telarañas* (1955), su primera pieza, *En silencio* (1956), *Ruinas* (1957) y *Villa Denaria* (1959), de las cuales las tres últimas permanecen inéditas.

El estreno de *Telarañas* (1955) significó, a pesar de su poco éxito comercial, el reconocimiento del autor por parte del mundo del teatro madrileño. Esa primera obra, experimental, algo confusa, es sin duda una pieza inicial que plantea ya los temas fundamentales en la obra dramática del autor: el aislamiento del hombre y su dilema en cuanto al futuro, según señala acertadamente Loren L. Zeller [2].

Las primeras obras del autor aparecen divididas en Partes que con frecuencia fragmenta en cuadros. En ellas los acontecimientos suceden en lugares comunes y la acción dramática presenta un desarrollo lineal. Así sucede en la citada *Telarañas* (1955), obra en la que no obstante aparecen los primeros síntomas de ruptura con la estética tradicional a pesar de la trivial historia de amores entre profesor y alumna, en *En silencio* (1956), amargo drama con tintes neorrealistas que recuerda el cine italiano del

1. Ver Ruiz Ramón, Francisco, *Historia del teatro español. Siglo XX*, Madrid, Cátedra, 1980, pp. 490-491.

2. Zeller, Loren L., "La evolución técnica y temática en el teatro de Carlos Muñiz", *Estreno*, 2, 2 (1976), pp. 41-49.

momento, o en *Ruinas* (1957), sobre el tema de la soledad y cuya acción se desarrolla en la Alemania destruida [3].

Con *El grillo*, el autor comienza a consolidar una configuración dramática más propia. Y así el propósito dramático del mismo deriva desde la preocupación existencial anterior, la que se advertía en *Telarañas*, hacia la protesta social. Aparece de ese modo el propósito crítico que será ya una constante hasta la *Tragicomedia del serenísimo príncipe Don Carlos*, en 1972.

El grillo, pieza escrita en 1955, estrenada por el teatro Nacional de Cámara, en 1957, en el teatro María Guerrero de Madrid, refleja la vida de un funcionario, Mariano, un pobre oficinista que encuentra difícil aceptar su propia realidad. Por un lado es un hombre débil que fracasa puesto que no logra el poder o la riqueza, como consigue su hermano; por otro lado no se resigna a la pobreza de su vida. Pero, a pesar de las debilidades personales de Mariano, el autor deja entender que su situación se debe al estancamienro del orden establecido por la sociedad [4]. Mariano, ese hombre insignificante, es la imagen dramática del individuo aplastado por la comunidad y, si bien no hay acusación expresa en contra de esa sociedad opresora, basta mostrar la vida de ese personaje para manifestarlo. Así pues, la acción dramática se centra en la lucha que experimenta el protagonista para soportar y vivir con sus circunstancias; Lorenzo, su hermano, único representante de la clase poderosa, egoísta lleno de hipocresía, será el contrapunto, el que ha conseguido triunfar; no obstante, aunque éste represente a la fuerzas de la injusticia social, no sirve de antagonista activo porque no figura en el conflicto dramático principal. Al final, el autor no ofrece solución alguna para los problemas de Mariano y sus compañeros; solo queda la falta de esperanza [5].

3. Oliva, César, *El teatro desde 1936*, Madrid, Alhambra, 1989, p. 316.

4. Zeller, Loren L., "La evolución técnica y temática en el teatro de Carlos Muñiz", op. cit., p. 42.

5. Zeller, Loren L., Edición de *El tintero* y *Miserere para medio fraile* de Carlos Muñiz, Salamanca, Almar, 1980, p. 12.

El precio de los sueños, escrita en 1957, Premio Carlos Arniches del año siguiente, critica el drama de la clase media española de provincias, el vivir de las apariencias, tema que cuenta con una larga tradición en la literatura de fines del siglo XIX y primeros años del XX tanto en la novela como en el teatro. La acción dramática de la obra va mostrando cómo las falsas ilusiones son capaces de destruir la felicidad de una familia, una familia que equipara el honor con el dinero. El personaje representante de las fuerzas destructoras, Matilde, no funciona como antagonista activamente, sino al margen de la acción conflictiva.

Así pues, en esta primera etapa de tendencia naturalista, es evidente la presencia de la dramaturgia de Buero Vallejo. Muñiz condensa una forma expresiva que procede del teatro de su tiempo y crea con el ambiente naturalista una ilusión de la realidad misma. Su forma escénica es tradicional, aunque dentro de las innovaciones que los años 50 ofrecían como modelo, todo ello dentro de esos pequeños universos que querían representar la limitación de un colectivo sometido a la estrechez del medio que les agobia.

En un "Comentario" a una edición de *El grillo* el escritor defiende su forma de presentación teatral al afirmar que "el teatro no debe ser la cátedra donde se expliquen teorías políticas o sociales más o menos científicas, sino espejo donde se le puedan mostar al espectador –hombre– las necesidades, los vicios, las ambiciones y todos los sentimientos propios o ajenos para, a través de esas enseñanzas, ponerle en el camino de pensar" [6]. Poco después, señala Zeller que la forma de presentación que aquí Muñiz defiende cambia radicalmente, y junto con este cambio de técnica teatral, se logra una evolución del contenido temático [7].

Lo cierto es que en la década de los cincuenta los autores dramáticos comprometidos comenzaron a exprimentar con distintas formas y técnicas. Se hablaba de escritores

6. Muñiz, Carlos, Edición de *El grillo*, Madrid, Arion, 1965, p. 110.

7. Zeller, Loren L., "La evolución técnica y temática en el teatro de Carlos Muñiz", op. cit., p. 42.

europeos como Ionesco, Beckett, Durrenmatt, Brecht. Además se prestaba más atención a autores españoles como Unamuno, Valle-Inclán, García Lorca. Esta inquietud se puso de manifiesto con el estreno en 1958 de *Un soñador para un pueblo*, obra en la que Buero Vallejo emplea una forma de realismo narrativo que permite al dramaturgo presentar explícitamente su mensaje social. De esa manera *Un soñador para un pueblo* representó un paso muy significativo en el desarrollo del teatro español.

2. El neoexpresionismo

En 1960, en un número de la revista *Primer Acto*, Alfonso Sastre y José María de Quinto publicaron su "Declaración del Grupo de Teatro Realista". Esta declaración proponía una búsqueda de nuevos autores españoles capaces de garantizar la continuidad del teatro español. Resultado de este planteamiento será el estreno en el teatro Recoletos de Madrid de *El tintero*, en el año 1961, obra que marca el comienzo de la segunda etapa de la evolución de la escritura dramática del autor. El Grupo de Teatro Realista acogió la obra con entusiasmo, a pesar de su "excesivo contenido dramático", de "su forma expresionista de dudosa aceptación por el público", "de la amargura del tema", argumentos todos ellos que esgrimieron otras empresas para justificar su negativa, según señala Francisco Alvaro [8].

Zeller [9] señala como pertenecientes a esta segunda etapa a *Las viejas difíciles* y a cuatro piezas cortas: *El caballo del caballero*, *Un solo de saxofón*, *Miserere para medio fraile* y *Los infractores*, todas escritas entre 1961 y 1969.

La referencia obligada en la concepción teatral de Carlos Muñiz en esta segunda etapa es sin duda el expre-

8. Alvaro, Francisco, "*El tintero*, farsa de Carlos Muñiz", *El espectador y la crítica (El teatro en España en 1961)*, Valladolid, 1962, p. 16.

9. Zeller, Loren L., Edición de *El tintero* y *Miserere para medio fraile*, op. cit.

sionismo. Este movimiento estético que, al igual que el simbolismo se opone al naturalismo positivista anterior, propondrá que lo importante no es la realidad objetiva en sí sino el pensamiento y la intuición del hombre como fuerzas capaces de cambiar el medio en el que vivimos. El artista intentará trasmitir su visión del mundo, una visión distorsionada que producirá inquietud, descontento con el mundo, reclamará un nuevo tipo de sociedad, un hombre nuevo en un mundo también nuevo [10].

Así pues tras la inédita *Villa Denaria* (1959) se da paso a la gran ruptura formal que es *El tintero* (1960).

El tintero es, según César Oliva, la primera alternativa seria de una generación realista frente al teatro convencional. Todos los miembros de la generación evolucionaron en un momento de su carrera: Buero lo hizo gracias al drama histórico, Sastre siempre se sintió incómodo en el corsé realista; Martín Recuerda y Rodríguez Méndez tardaron en encontrar nuevas fórmulas pero lo consiguieron. Muñiz "es el que cambió más prematuramente, el que rompió con sus orígenes de manera más brusca" [11]. Y así decorado, iluminación y trazado de los personajes, ofrecen nuevas soluciones. Rompe los actos habituales y divide la obra en dos partes con cuatro cuadros cada una y una "Fantasía final". "Lo cierto es que *El tintero* cuenta otro drama de desesperanza, pero con un lenguaje inhabitual, de trazo grueso y esperpéntico, tomando del sainetismo los mínimos elementos y planteando el más moderno -en su tiempo- sistema dramatúrgico" [12].

Así se entiende, siguiendo al citado crítico, que Muñiz sobresalga del resto del grupo por su especial disposición hacia una variable del realismo que va por el lado de lo grotesco, el trazo fuerte y la imagen expresionista. "*El tintero* no es exactamente modelo de un teatro realista sino que, a partir del realismo se ofrece con fórmulas de mani-

10. Ver Oliva, C. y Torres Monreal, F., *Historia básica del arte escénico*, Madrid, Cátedra, 1990, pp. 368-69.
11. Oliva, C., op. cit., p. 317.
12. Oliva, C., op. cit., p. 318.

festación más personales, un teatro que podría estar en la órbita del absurdo o en la de la alucinación kafkiana" [13].

En las obras de la segunda etapa, el autor combina técnicas expresionistas de tal modo que le van a permitir presentar "una grotesca y mordaz interpretación de la destrucción de sus protagonistas" [14]. De esa manera Muñiz consigue lo que logró Buero poco antes con su pieza histórica: una presentación explícita de un problema social. Buero lo hace creando una distancia temporal entre la acción dramática y el público; Muñiz, al crear una distancia psicológica. Una vez establecida esta distancia el dramaturgo puede situar en primer plano el problema social. Y así en contraste con sus obras anteriores en las que el autor criticaba implícitamente la injusticia social, sus piezas expresionistas comienzan a denunciarla explícitamente. Muñiz es a partir de este momento un escritor comprometido.

Las cambios más significativos en esta segunda fase serían el hecho de que los personajes son arquetipos, ideas, en vez de individuos; el ambiente es esquemático, abstracto en vez de realista; la acción es farsesca en lugar de verosímil. De todo ello surge esa nueva concepción teatral que le permitirá al autor crear una distancia psicológica entre la acción dramática y el público; así es como el autor llega a presentar directamente un problema; ha dejado de sugerir como hacía anteriormente.

Muestra de todo ello es que, aunque el espectador tienda a simpatizar con el protagonista de *El tintero,* en realidad se preocupa por lo que le pasa a Crock en vez de compartir un posible conflicto interior con el personaje. Por esa técnica se mantiene la necesaria distancia psicológica entre los personajes arquetípicos y el público.

El tema central que se deja notar en todas las obras es la lucha por la libertad frente a una sociedad corrompida. Sus protagonistas aparecerán como víctimas de unas reglas sociales, convencionales, rígidas y ajenas a las verdaderas necesidades del individuo.

13. Oliva, C., op. cit., p. 315-16.

14. Zeller, Loren L., Edición de *El tintero* y *Miserere para medio fraile* op. cit., p. 14.

Un aspecto interesante y que ofrece posibles discusiones es el que plantea Alfonso Sastre a propósito del expresionismo de *El tintero;* afirma que si las notas dominantes del expresionismo histórico son la rebeldía, el idealismo, la ambiguedad, las absolutizaciones delirantes y la abstracción, no cree que éstas estén presentes en la obra; más bien la vincula con una tendencia expresionista crítica y satírica típicamente española. Si es cierto que *El tintero* tiene mucho que ver con Kafka y con Chaplin, no es menos cierto que ofrece muchas de las características de *Los Sueños* de Quevedo. *El tintero,* de Carlos Muñiz, es realista en la misma medida en que es una novela realista *El buscón* de Quevedo; quiero decir que lo es en la medida en que ni una ni otra obra responden a los postulados de un realismo fotográfico o naturalista [15].

A este propósito Julio Diamante en unas notas que hacen referencia a su dirección de *El tintero* afirma que la obra "es una farsa en la que vibra, en distintos momentos un pálpito expresionista. A través de sus nueve cuadros se encuentra en ella una situación absurda, desorbitada, que, no obstante, a poco esfuerzo que hagamos nos revela un contenido actual y entrañable". Y sigue afirmando que si bien la obra es una obra de vanguardia considerada como texto y como espectáculo puesto que presenta una evidente ruptura en relación con las obras y los montajes del teatro coetáneo, existe en la misma algo que le hace superar la etiqueta de teatro de vanguardia, entendido como teatro de simple subversión formal; "Y es que Carlos Muñiz apunta un tema de conciencia con respecto a determinados acontecimientos sociales. La obra es pesimista; sus soluciones ambiguas; pero el problema está planteado ahí vigoroso y justo. Ambas cosas caen muy dentro del sentir de Muñiz, desconsolado y desconcertado frente a un mundo que se le antoja triste e incomprensible, pese a lo cual su postura no es de escepticismo ni de desvinculación" [16].

15. Sastre, Alfonso, "Problemas dentro y fuera de *El Tintero*", *Primer acto*, 20 (1961), p. 3.
16. Diamante, Julio, "Mi dirección de *El tintero*", *Primer acto*, 20 (1961), p. 8.

En *Las viejas difíciles*, escrita entre 1961 y 1962, el autor critica la hipocresía y el fanatismo de una Asociación de Damas dedicada a mantener lo que ellas consideran la moralidad. La Asociación es un símbolo de las fuerzas sociales deshumanizadas, caducas y corruptas que poseen poder sobre los individuos. Antonio, el protagonista, está convencido de que no puede cambiar su situación, y se resigna a ella; Julita, la protagonista, representa la rebelión y declara abiertamente que desea luchar. Al final del drama será Antonio quien reaccione y abandone su inactividad. Es significativo, señala Zeller [17], que los personajes aparezcan por vez primera en el parque, símbolo de la naturaleza y de la libertad. Frente a los dos protagonistas, ambos de grandes cualidades humanas, las Damas son figuras grotescas que visten uniformes semejantes y carecen de la virtud de la caridad; "como las figuras en las pinturas negras de Goya, la fisonomía de las viejas es torcida, y los sombríos vestidos negros contribuyen a la cualidad grotesca de su caracter" [18]. "En *Las viejas difíciles* –opina Ruiz Ramón– a nuestro juicio demasiado lenta y reiterativa, lleva Muñiz a su máxima exacerbación la caricatura de esa situación que se esfuerza en hacer patente en las dos piezas anteriores: la conversión de lo humano normal en monstruosa anormalidad" [19].

Los personajes arquetípicos que aparecen tanto en *El tintero* como en esta última obra, *Las viejas difíciles*, vuelven a aparecer en las piezas cortas del autor y responden a tres tipos según Zeller: los que representan el orden establecido, los que se someten a ese orden y los que se rebelan contra el orden.

En *Un solo de saxofón*, escrita en 1961, asistimos al intento de linchamiento de un blanco al que se le acusa de ser negro. La salvación estará en manos de un grupo al margen de la ley. Lo de menos, afirma muy acertadamen-

17. Zeller, Loren L.,"La evolución técnica y temática en el teatro de Carlos Muñiz", op. cit., p. 44.

18 Zeller, Loren L., Edición de *El tintero* y *Miserere para medio fraile* op. cit., p. 15.

19. Ruiz Ramón, op. cit., p. 493.

te Ruiz Ramón, es el tema de la discriminación racial; lo de más, la demostración de la violencia y la crueldad gratuitas, que, enmascaradas por la ley, se presentan como expresión del orden establecido. La única salvación contra ese orden es desafiarlo y situarse al margen de él [20].

En *Los infractores* (1961) los protagonistas, Jan y Marta, ella, azafata y él, oficinista, pretenden mejorar el mundo pero la policía los detiene por infringir las reglas. Se enfrentan con el aparato burocrático caracterizado por títulos como la "Comisión de Departamentos de Racionalización del Trabajo de los Racionales". Así las pequeñas infracciones de los protagonistas simbolizarán el ansia de afirmarse como personas, en una sociedad deshumanizada que había terminado orgullosa pero falsamente con lo que de irracionalidad hay en el ser humano.

También la rebelión contra el orden establecido frente a la libertad del individuo es el tema de *El caballo del caballero*; el protagonista, el Hombre, se rebela; su rebelión será la síntesis de todos los protagonistas rebeldes del dramaturgo. "La rebelión del Hombre, como la de los otros personajes principales en su piezas expresionistas, consiste en su lucha por la libertad de expresión, una reacción en contra de la monotonía y la nada de su ambiente restringido" [21].

En esta pieza corta del autor se plantea el hecho de "volver las cosas a su sitio" puesto que el orden establecido es, según indica el Hombre, la causa del caos y de un orden representado por el señor Don [22]. Hermenegildo, el personaje protagonista, desea rebelarse pero no podrá hacerlo; su esposa, Teresa, se ha adaptado a las circunstancias. Entonces el Hombre, que pretende cortar la mano al señor Don, mata por equivocación a Hermenegildo, y, así, fracasa en su empeño, que es el deseo de eliminar la injusticia.

20. Ruiz Ramón, op. cit., p. 493

21. Zeller, Loren L., Edición de *El tintero* y *Miserere para medio fraile* op. cit., p. 18.

22. Zeller, Loren L.,"La evolución técnica y temática en el teatro de Carlos Muñiz", op. cit., p. 45.

Como en todos los personajes del autor, la protesta no se refiere a una determinada situación económica, ya que a pesar de todo el señor Don ofrece comodidad material, sino que viene motivada por la privación de la paz espiritual de los personajes. Zeller [23] señala que, al asociar a su protagonista con el caballero Don Quijote, el autor atribuye una cualidad noble a la protesta del Hombre a la vez que llama la atención sobre el caracter trágico del rebelde. Como sucede en el Quijote, los hermosos ideales son derrotados por una sociedad en la que impera la corrupción. Se observa pues que, con la excepción de *Miserere para medio fraile*, en todas las obras expresionistas del autor la rebelión del protagonista fracasa trágicamente.

Así pues en esta segunda etapa la visión de Muñiz es sumamente pesimista, y a ello contribuyen la utilización de las técnicas expresionistas; es precisamente en *El tintero* y en *Las viejas difíciles* donde más se nota su incidencia ya que, por una parte, el autor dedica casi la mitad de la accción a la exposición de los infelices desenlaces dramáticos; por otra parte, la acción aparece fragmentada dado el uso de múltiples escenarios; de igual modo, los violentos contrastes creados tanto por las diferentes clases de música como por la yuxtaposición de otros sonidos producen un efecto desequilibrador en el público así como una sensación de urgencia. Todo conduce a la representación de un mundo deshumanizado, en contraste con sus piezas naturalistas, en las que el escenario daba una ilusión de la realidad; ahora, el ambiente en estas piezas estará caracterizado por su función simbólica y sugestiva [24].

23. Zeller, Loren L.,"La evolución técnica y temática en el teatro de Carlos Muñiz", op. cit., p. 46.
24. Zeller, Loren L.,"La evolución técnica y temática en el teatro de Carlos Muñiz", op. cit., p. 46.

3. La realidad esperpéntica

Hacia 1966 la etapa expresionista de Muñiz parece llegar a su fin; el autor, desilusionado ante las dificultades para estrenar su obra, está convencido de que escribe para guardar y esperar: "Escribir para guardar no importa, cuando se escribe con sinceridad aquello que se queda guardado. Lo que hay que hacer es esperar, simplemente" [25]. Y así pasan unos años hasta que aparece una nueva obra, la *Tragicomedia del Serenísimo Príncipe don Carlos*, que concurrirá sin éxito al Premio Lope de Vega de 1972 y no será publicada hasta 1974.

La publicación de la *Tragicomedia del Serenísimo Príncipe don Carlos*, marca el comienzo de un tercer momento en la producción dramática del autor. La pieza consta de un prólogo y dos actos y nos presenta las complicadas relaciones entre el rey Felipe II y su hijo, don Carlos. Comienza con la presentación de un auto de fe al que asiste la familia real en Valladolid. Continua la acción que se centra en los deseos de casamiento por parte de don Carlos con doña Ana de Austria. El rey se opone y así surge el conflicto hasta que don Carlos muere. Según opina Zeller: "la interpretación desmitificadora de Muñiz considera la absoluta y ardiente devoción a la fe católica y la visión que tiene Felipe II de sí mismo como defensor supremo de la fe, los hechos decisivos respecto a la relación trágica entre él y su hijo" [26]. De ese modo se observa en la obra un perfil más humanista que crítico, un deseo de reconocer los errores del pasado para evitar la equivocación futura.

La interpretación por parte del dramaturgo de este famoso conflicto real se distingue de las otras versiones literarias como el *Don Carlos* de Schiller, el *Don Carlos* de Saint Réal, o el de Verdi; aunque la pieza es la versión literaria de un hecho histórico, habría que decir que tam-

25. Muñiz, Carlos, *Cuadernos para el diálogo*, 111 (junio, 1966), p. 46.

26. Zeller, Loren L., Edición de *El tintero* y *Miserere para medio fraile* op. cit., p. 20.

bién es el resultado de una dedicación de varios años de estudio sobre el tema. Así llega a la apreciación de disminuir la importancia del conflicto amoroso y dar relevancia a la envidia. El Príncipe Don Carlos de esta obra es un ser mimado, débil física y psíquicamente, que se siente inferior a su padre y que a medida que avanza la obra siente mayor y más creciente odio hacia el rey.

Cambia el propósito del dramaturgo porque en lugar de una interpretación subjetiva de un problema social contemporáneo, el escritor propone responder con la verdad esperpéntica a las muchas y estrafalarias patrañas que se han dramatizado en torno a la figura del Príncipe Don Carlos [27].

De igual modo la técnica dramática del autor sufre un cambio y aparece el realismo narrativo heredado del teatro épico de Brecht; así pues continua ese distanciamiento entre público y acción dramática que había sido utilizado en el expresionismo anterior y que también utiliza Buero, si bien habría que señalar que en el caso de Muñiz se incide en lo grotesco, incluso en lo esperpéntico. Según Zeller el elemento que distingue el realismo narrativo de Muñiz de una técnica semejante en la obra Buero es el énfasis que pone aquel en los elementos grotescos. Sin embargo, existe un fuerte presentimiento en la pieza de que así era la realidad palaciega de la época y que en vez de verla por espejo cóncavo, se la ve sin distorsión alguna [28].

A este propósito afirma Ruiz Ramón: "La necesidad de descoyuntar la realidad tiene en Muñiz una causa final muy cercana a la del esperpento valleinclanesco: es el procedimiento más directo para reflejar una realidad que en sí mismo está ya descoyuntada" [29].

Cambio pues de propósito dramático y de técnica ya que la *Tragicomedia* dista mucho de ser una crítica social

27. Muñiz, Carlos, "Introducción" a la *Tragicomedia del Serenísimo Príncipe Don Carlos*, Madrid, Cuadernos para el diálogo, 1974, p. 8.

28. Zeller, Loren L.,"La evolución técnica y temática en el teatro de Carlos Muñiz", op. cit., p. 49.

29. Ruiz Ramón, op. cit., p. 493.

contemporánea por una parte, y, por otra parte, ya que el expresionismo cede el paso a un realismo narrativo como ya hemos apuntado.

En suma la obra se sitúa entre las más avanzadas aportaciones de los "autores realistas" según César Oliva [30]. Los dieciocho cuadros se distribuyen en dos partes y un prólogo; éste, de una gran complejidad puesto que ofrece al espectador un auténtico auto de fe. Las dos partes, con decorados cambiantes que presentan diferentes estancias de palacio, son más severas; hay pues un gran cambio entre la espectacularidad del principio y la austeridad del resto de la obra. Todo ello se verá explicado en las acotaciones, numerosas y muy detalladas.

Posteriormente escribe Muñiz *Los condenados*, obra que permanece hasta el momento sin publicar ni estrenar. Es una pieza dramática en dos actos que no se relaciona con las anteriores más que por la crueldad del tema y por su exposición lineal. En un mismo decorado, una casa, se desarrolla el drama de unos seres que cuentan sus desgraciadas historias de manera que todos son condenados en vida.

La discontinuidad estilística de Muñiz puede proceder, según señala acertadamente César Oliva, de la falta de estrenos; así tras iniciarse en el naturalismo de la comedia convencional de posguerra y conseguir la magnífica ruptura de *El tintero* el autor regresa a los esquemas anteriores con *Los condenados.*

Más tarde escribió obras actualmente inéditas y de difícil acceso a los escenarios como *El proceso del general Riego*, *El proceso de reflexión*, u *Oratorio de los condenados*.

También cultivó el teatro infantil dada su especial inclinación a la farsa; así *El guiñol de don Julito*, *El rey malo o Don Godofredo y su lacayo* o *La Nochebuena de los niños pobres*.

Así pues y tras este rápido recorrido a través de la producción del autor observa Zeller una doble temática en su obra: el aislamiento del hombre y su dilema respecto a la manera de hacer frente al futuro; como respuesta, se podría añadir el deseo irrefrenable de libertad y la rebelión consiguiente frente a todo signo opresor.

30. Oliva, C., op. cit., p. 320.

Con *El grillo*, estrenada en 1957, entra a formar parte del grupo de la "generación realista". A partir de este momento la preocupación existencial junto con la inquietud social serán constantes en su producción. Afirma J. Llabrés: "Toda la obra de Muñiz es un continuo esfuerzo para conseguir desenmascarar, limpiar, todas las estructuras sociales que no tienen la transparencia que necesitan" [31]. Y sigue afirmando que de ese modo lo social va adquiriendo a medida que nos acercamos a sus posteriores creaciones una gran importancia. Para Muñiz lo social, según afirma Llabrés sin señalar la fuente, "es la toma de conciencia ante un determinado hecho, en un determinado momento histórico. Esa toma de postura naturalmente debe suponer un deseo de modificar ciertos principios sociales ya establecidos que no se consideran eficaces ni aprovechables".

En sus primeras obras lo humano está por encima de lo social y si bien lo social aparece, según el citado crítico, lo hace de manera encubierta y no suficientemente desarrollado. En sus obras posteriores, la preocupación por un determinado individuo deja paso a una profunda consideración sobre la sociedad desde un punto de vista general. Y se le ocurre pensar a Llabrés si "ese nuevo Muñiz terriblemente social ha sido creación del espectador... ¿Se ha adaptado nuestro autor a una necesidad actual?" [32]. La reflexión sobre el tema desbordaría nuestras intenciones de introducción a unas obras dramáticas del autor, pero quede ahí la pregunta para futuras consideraciones.

Así pues desde el estreno de *El grillo*, en 1957, la obra dramática de Carlos Muñiz ha pasado por tres etapas distintas respecto a la evolución técnica y tematica. El naturalismo de sus obras tempranas que pertenecen a la década de los cincuenta da paso a una forma más experimental, el neoexpresionismo. Con la *Tragicomedia* el autor abandona la técnica expresionista, la protesta social y deriva hacia un propósito más humanista, el de desmitificar la histo-

31. Llabrés, Jaime, "Carlos Muñiz, un representante de la nueva generación", *Papeles de Son Armadans*, 110 (11965) 217-228, p. 217.
32. Llabrés, op. cit., pp. 221-22.

ria; de ahí la existencia, en esa última concepción teatral, de una acusada tendencia hacia lo espérpéntico.

Lo cierto es que la obra de Muñiz responde a una necesidad del teatro español del momento: la búsqueda de un neoexpresionismo español que para algunos críticos se ciñó exclusivamente a la traducción del expresionismo internacional al uso [33], y para otros recogió y sintetizó esa línea expresionista, satírica, irónica, esperpéntica, y que tan abundantes y espléndidos frutos ha dado en la literatura española.

Todo nos lleva a concluir que cuando nos enfrentamos con la obra dramática de Carlos Muñiz es evidente que, al margen de concesiones, de convenciones y de adaptaciones al momento histórico, nos encontramos con lo literario, es decir, con la búsqueda del mito como condensación estética que apunta a una profunda realidad, la realidad del ser humano.

III. ANÁLISIS TEXTUAL

1. EL TINTERO

1.1. *La semántica del texto dramático*

En nuestra propuesta de análisis incluimos procedimientos tradicionales junto con acercamientos más actuales. Utilizaremos pues un método ecléctico y no exclusivo [34] cuyo objetivo de estudio será, en la medida de lo posible, lo verbal junto con lo visual, ya que entendemos al teatro como un proceso que se inicia en el texto dramático y que culmina en la puesta en escena [35].

33. Ver Carlos Wilson, "Un estreno del G.T.R.: *El tintero* de Carlos Muñiz", *Insula* (172) 1961, p. 15.

34. Seguimos la orientación general de Antonio Tordera en "Teoría y técnica del análisis teatral", en *Elementos para una semiótica del texto artístico,* Madrid, Cátedra, 1980.

35. Ver Bettetini, Gianfranco, *Producción significante y puesta en escena*, Barcelona, Gustavo Gili, 1977 y Garroni, Emilio, *Proyecto de semiótica*, Barcelona, Gustavo Gili, 1973.

Veamos en primer lugar la intencionalidad del autor. Confiesa éste que se proponía "Hacer pensar un poco en esos hombres pequeños y grises que consumen su existencia entre el polvo siniestro de las oficinas" [36].

Veamos a continuación el argumento. *El tintero*, editada por vez primera como ya hemos apuntado en 1961, nos cuenta la historia de un pequeño oficinista, Crock, que se va a enfrentar con un mundo burocratizado, más que deshumanizado, antihumano o "ahumano". Y así la relación entre Crock y sus jefes es la relación entre lo humano y lo no humano. Crock es la criatura a la que se le obliga a reprimir su condición humana como si ésta fuese una monstruosidad. Así, al no poder dejar de ser hombre, es expulsado de ese universo. Lo más terrible es que el hombre es devorado por fantoches, por muñecos y no por alguien superior. Crock, expulsado de su trabajo, privado de forma absurda de su Amigo, regresa a su casa, después de haber vendido su futuro cadáver a la Facultad de Medicina; se da cuenta de la infidelidad de su mujer y, como última venganza, se tiende en la vía del tren para que su cuerpo no pueda ser utilizado en la disección. Al final, los que lo han destruido se apiadan de él; entonces libre, feliz, solo con su Amigo, podrá por fin ir a ver el mar.

Podríamos fijar el núcleo temático de la obra en el deseo de libertad, en incluso la lucha por la libertad, frente a un pretendido orden social que oprime y esclaviza al hombre. Pero en torno al tema central aparecen unos temas secundarios, o modelos semánticos que se mueven en unos campos de referencias determinados; de entre ellos destacaríamos:

- en el campo de referencias de lo real frente a lo ideal, la identificación de lo ideal con la belleza, el ensueño, la libertad, la imaginación, frente a la realidad, la legalidad, la monotonía, la cotidianeidad;
- en el campo de referencias de las relaciones sociales, por una parte, la identificación de la amistad como bien supremo, del amigo como compañero insepara-

36. Alvaro, Francisco, op. cit., p. 17.

ble, por encima del amor y de la familia; por otra parte, la identificación de la autoridad con la opresión, con la injusticia, con el absurdo al que a veces conduce;

- en el campo de referencias de la cordura o la sensatez y la locura, la aproximación entre locura y verdad;
- en el campo de referencias espaciales, por una parte, identificación de la felicidad y la vida rural frente a la infelicidad, la insatisfacción que ocasiona la vida en la ciudad, y por otra parte, identificación de la felicidad del paraíso con el mar, frente a la limitación de la tierra adentro, sin horizontes;
- en cuanto a las referencias temporales, identificación de la infancia con el paraíso perdido;
- en cuanto a las relaciones amorosas, presencia de la búsqueda, del deseo del amor; y
- en cuanto a las relaciones vitales, identificación de la muerte con la paz, con el mar, con el paraíso soñado, casi con la beatitud que inspiran los lugares en los que ya no se tiene prisa.

Pero también en toda obra literaria existen unos signos "indexicales" que la relacionan con una determinada situación histórica. La obra literaria nos habla de su realidad a través de unos signos cronológicos y sociales de entre los que serían destacables en nuestra obra los siguientes:

Signos cronológicos:

Señala el autor: "Epoca actual. O hace cientos de años. O dentro de cientos de años, si no se pone remedio". Epoca indeterminada si bien luego, a lo largo de la obra observaremos que se trata de la época actual.

En la Parte Segunda se señala al principio que han transcurrido veinticuatro horas desde los acontecimientos ocurridos. El protagonista recuerda lo ocurrido como una pesadilla.

Por otra parte en varias ocasiones se cita que es primavera, época en estrecha relación con el tema puesto que resalta la opresión y el deseo de felicidad del protagonista, Crock.

Siempre existe una presencia mediante alusiones del tiempo que Crock debe pasar obligatoriamente en la oficina. En la Fantasía final el tiempo ya no importa puesto que se ha transpasado la frontera entre la vida y la muerte.

Signos sociales

No son numerosos los signos sociales y así aparece una sociedad estratificada en la que se reflejan las relaciones de poder de modo que existen unos seres autoritarios que oprimen a los simples empleados. Al margen de esas relaciones aparece el Amigo que ha decidido apartarse de esa sociedad; otros tipos sociales serán representados por la dueña de la pensión, que actúa con fines lucrativos, Frida, la esposa de Crock, mujer vulgar, materialista, y el Maestro, joven, apuesto, que aspira conseguir los favores de Frida y que se presenta también lleno de vulgaridad.

Los ámbitos sociales en los que se desarrolla la acción son más que sencillos, pobres, con escasa presencia de signos sociales que remitan a ambientes que no sean corrientes o vulgares; de ahí el esquematismo imperante.

En cuanto a la localización de la obra el autor señala al principio que la acción transcurre "en un lugar donde no hay hombres, donde existe el dinero, donde la ambición domina los corazones, donde no importa que un hombre muera", lugar, al igual que el espacio, indeterminado, deshumanizado y con connotaciones sumamente negativas.

2. La estructura dramática

2.1. *Situaciones dramáticas* [37]

La obra se presenta según el autor como una farsa, dividida en dos partes y una fantasía. A su vez las partes se

37. Para el concepto de situaciones ver Jansen, Steen "Esquisse d'une théorie de la forme dramatique", *Langages*, 12 (1968), pp. 71-93; Larthomas, Pierre, *Le langage dramatique*, Paris, Armand Colin, 1972; y También Iglesias Feijoo, Luis, *Trayectoria dramática de Buero Vallejo*, Universidad de Santiago 1972.

dividen en cuatro cuadros respectivamente. No presenta pues una estructura externa tradicional en la que encontraríamos Acto I, Acto II y Acto III con un planteamiento, nudo y desenlace.

En cuanto a la estructura dramática interna constatamos, como en toda pieza dramática, la presencia de acciones dramáticas por un lado y de unas situaciones dramáticas como modo de expresión de las primeras. Las acciones dramáticas que la obra presenta podrían sintetizarse en las siguientes:

– Relaciones de Crock con sus jefes, con sus superiores,
– Relaciones de Crock con Frida, su esposa, y
– Relaciones de Crock con el Amigo.

Por otra parte los Cuadros podrían dividirse en situaciones dramáticas, es decir, unidades menores dotadas de sentido que hacen que la acción dramática progrese.

Así tendríamos:

Parte Primera

Cuadro Primero

1. Crock dialoga con el conserje de la oficina donde trabaja. Este le recrimina sus faltas al reglamento, es decir, la alegría que siente Crock porque es primavera. Crock se enfrenta con él al principio, pero luego se acobarda y se retracta.
2. El Jefe de personal de la oficina, Frank, le reprende igualmente por sus faltas a la disciplina. Crock se ve obligado a callar.
3. Crock habla con el Amigo sobre la compra de una futura vivienda.
4. Frank echa al Amigo de la oficina.
5. Discusión entre Crock y Frank.
6. Crock discute con Livi, el Jefe de los Servicios Administrativos, quien le niega a Crock una gratificación económica.
7. Los Tres Empleados, de comportamiento ejemplar ante sus jefes, rechazan a Crock. Discusión.

8. Llega el Director de la oficina. Dialogan los jefes sobre el peligro que supone la presencia de Crock en la oficina.
9. Crock conversa con el Amigo. Confiesa que está cansado y que desea refugiarse en su familia.

Cuadro Segundo

1. Crock y el Amigo se encuentran en la oficina del Negocinate. Crock le solicita un piso. El Negociante se niega pero le ofrece un "trabajillo".
2. El Negociante pide informes sobre Crock e, irónicamente, sobre el "trabajillo".

Cuadro Tercero

1. La dueña de la pensión informa a Crock y al Amigo que ha venido un Inspector Médico de la oficina para ver a Crock.
2. Crock y el Amigo conversan sobre el paraíso, sobre la infancia perdida y añorada, sobre la vida actual y miserable de Crock.
3. Llega Frida, la mujer de Crock, y le reprende por su ausencia del pueblo, por el incumplimiento de sus obligaciones como marido y como padre. Le cuenta también las pretensiones del Maestro con respecto a ella.
4. Llega una carta de la Dirección de la oficina. Deciden acudir allí.

Cuadro Cuarto

1. El Director les informa que se está estudiando el expediente de Crock pero que la decisión no se conocerá hasta el día siguiente.
2. Frida y Crock discuten delante de todos sobre le asunto del Maestro. Frida se marcha airada.
3. Crock suplica que le digan si va a ser despedido.
4. Los Tres Empleados reducen a Crock a la fuerza.
5. El Director, Frank y Livi brindan con unos tinteros por el triunfo de su decisión.

PARTE SEGUNDA

Cuadro Primero

1. Frank y los Tres Empleados visitan a Crock en la pensión para informarle de la decisión del Director.
2. Crock se niega a firmar el despido. Discusión.
3. Los Tres Empleados lo obligan bruscamente a que firme.
4. La señora Slamb, la dueña de la pensión, se compadece de Crock.
5. Crock decide salir en busca de su Amigo y visitar al Negociante para que le dé el empleo prometido.

Cuadro Segundo

1. El Negociante solicita el informe sobre Crock; tras darle lectura en voz alta, y dado que el informe es pésimo, lo despide.
2. Crock se siente atraído por un afilado cortaplumas que el Negociante le regala.
3. El Negociante le pide a su secretaria que busque en el diccionario la palabra "primavera".

Cuadro Tercero

1. Crock dialoga con el Amigo y le manifiesta sus deseos de matar a Frank, pero no es capaz de hacerlo.
2. Crock y el Amigo discuten sobre el valor de un hombre para matar a otro.
3. Llega el vigilante del parque y detiene al Amigo.
4. Crock está asombrado, enloquecido, perplejo, desarmado ante la injusticia.

Cuadro Cuarto

1. Llega Crock al pueblo, a su casa. Discute con Frida quien lo envía a dormir al pajar.
2. Crock le entrega unos regalos que ha comprado a su esposa y a sus hijos. Los ha conseguido vendiendo su futuro cadáver a la Facultad de Medicina. Frida se muestra más afectuosa.

3. Llega el Maestro que había concertado una cita con Frida. Esta pretende provocar una pelea entre ambos.
4. Crock, desengañado, decide salir a pasear y marcha hasta la vía del tren.
5. Frida lo llama. Se escucha el chirrido de los frenos del tren. Luego el silencio y las miradas angustiadas entre Frida y el Maestro.

Fantasía final

1. Todos los personajes se acercan a Crock, que yace en el suelo, y le ofrecen sus remedios.
2. El Amigo les suplica que lo dejen en paz porque está muerto. Todos se suben al tren.
3. El Amigo despierta a Crock que se incorpora y contempla cómo se marcha el tren.
4. Crock y el Amigo ven a lo lejos el mar. Ríen y se encaminan hacia él.

Si bien todo nos conduce a pensar que la Fantasía final es el desenlace, se observa un desenlace de la acción dramática al final de la Parte Segunda.

Además de esto podríamos constatar que la presencia de casi todos los personajes, excepto del Amigo, origina tensión dramática; es sin duda una pieza de gran densidad dramática en la que el Amigo podría actuar como personaje conexión ya que establece una relación entre uno y otro nivel de conocimiento con respecto al resto de los personajes y de las acciones. La obra, por otra parte, presenta un final coherente y lógico con el desarrollo dramático hasta el final de la Parte Segunda pero la Fantasía final no se ve curiosamente como ajena al desarrollo dramático sino íntimamente relacionada con éste.

2.2. *Personajes*

Los personajes [38] aparecerán determinados en éste y en todo texto teatral por tres rasgos: el funcional, dado por el modo de intervención en la obra, el tipológico, presentado en las acotaciones, y, el onomástico, según haga referencia el nombre a unos determinados campos léxicos.

Funcionalmente los personajes atendiendo a su relevancia en la acción serán principales y secundarios, y atendiendo a su relación con la acción, serán aliados o adversarios.

En general los personajes del autor presentan unas características comunes; así son siempre seres inadaptados, ajenos a la realidad que les rodea, cercanos a la anarquía, sumidos siempre en la soledad y con la única solución de la amistad o del amor. La nota esencialmente definitoria es la desarmonía, la hostilidad con el medio que los rodea.

En nuestra obra tendríamos en cuanto a los personajes principales y su relación con la acción los siguientes rasgos:

- Crock: adyacente a la relación (Acción dramática 3)
  adversario de la relación (1) y (2)
- Amigo: adyacente a la relación (3)
  adversario de la relación (1)
- Frida: Adversario (2)

En cuanto a los personajes secundarios:

- Frank: adversario de la relación (1) y (3)
- Livi: adversario de la relación (1)
- Director: adversario de la relación (1)
- Negociante: adversario de la relación (1)
- Maestro: adversario de la relación (2)
- Sra. Slamb: adversario de la relación (1)
- Tres empleados: adversarios de la relación (1)
- Conserje: adversario de la relación (1)
- Secretaria: adversario de la relación (1)
- Vigilante: adversario de la relación (1)

38. Ver Hamon, Philip, "Pour un statut sémiologique du personnage", *Poétique du récit*, Paris, Payot, 1977.

La descripción tipológica de los personajes que aparece en las acotaciones no es muy detallada.

Crock, el protagonista de *El tintero*, si bien aparentemente no difiere de los personajes de las piezas anteriores del autor, se presenta de forma totalmente distinta. No es un personaje multidimensional, como el del teatro realista, sino que simboliza o significa. Representa ciertas cualidades humanas del hombre como su vulnerabilidad, sus necesidades físicas y espirituales, su individualidad y su deseo de expresarla. No quiere una existencia estereotipada. Se rebela contra esa existencia y así afirma su propia individualidad.

Crock aparece, al principio de la Parte Primera, como un trabajador afanoso, semejante a una máquina, que con cierto temor coloca un florero en su mesa, hecho que hace que se sienta absorto y feliz contemplándolo. Es un personaje de gran expresividad, sometido a grandes cambios de actitud que pasa de la alegría a la tristeza fácilmente; siempre parece cansado, debido tal vez a que está enfermo y débil, y a que no puede alimentarse adecuadamente por falta de recursos económicos. Sufre por su Amigo y percibe las situaciones ridículas inmediatamente. Es digno de compasión pero siempre es rebelde aunque tenga en ocasiones que olvidar su rebeldía y regresar al trabajo como un autómata.

Crock se niega a hacer lo que hacen los demás: hablar sobre fútbol y mujeres. Afirma contundentemente que piensa, que lee libros y que no reverencia a nadie. En un acto supremo de sumisión y de necesidad de supervivencia, devora un bocadillo de cuartillas. Lleno de ternura, de humanidad, confesará que necesita a la familia para seguir viviendo aunque a veces, resignado, tenga que soportar la agresividad irritante de su mujer. Lo único que desea es "vivir como todo el mundo", es decir, con algo de dignidad. Aparece pues como un personaje humanísimo: "Necesito que me salga alguna cosa bien en mi vida".

Tal vez lo que más lo caracteriza sea ese rechazo del mundo en el que vive y ese deseo de un mundo mejor al que identifica con el mar, con el paraíso soñado de la infancia.

Al principio de la Parte Segunda, Crock se encuentra en la habitación de la pensión en la que vive; lleva puesto un pijama que recuerda el atuendo de un recluso. Y es entonces cuando, ante la injusticia de su despido, ya que lo único que puede hacer es reclamar al "Alto Tribunal de Apelaciones Inapelables", se siente indefenso, inerme, confundido. No obstante cree que hace falta ser muy cobarde para matar a alguien. Luego, perplejo, enloquecido frente a la situación absurda de la detención del Amigo decide regresar al pueblo. En la que será su última visita a su casa se siente feliz; desea sin embargo que sus hijos lo sean más que él. Desengañado, hundido al enterarse del ridículo que ha hecho ante el Maestro, ante su esposa, ante la vida, admite que lo único que desea es contar historias bonitas a sus hijos porque la vida es demasiado terrible.

Convencido de que no hay mañana, sale a pasear hacia la vía del tren. Al final afirma que ya no tiene prisa y riendo, feliz, se va con su Amigo hacia el mar.

El Amigo es descrito como de "edad indefinida. Pobremente vestido". De firmes y contundentes convicciones afirma que a pesar de todas las prohibiciones "en el sol manda solo Dios". Convencido de que no iba a lograr muchas cosas en la vida, le cuenta a Crock que desde que de pequeño pidió una pelota y no se la compraron decidió no pedir nada más. Cuando se dió cuenta de que no podía vivir en esa sociedad que no le gustaba, decidió irse al parque y vivir y dormir allí, en un banco.

Lo que más lo caracteriza tal vez sea su fidelidad a su amigo. Así, fiel siempre a Crock, los dos emprenderán juntos en la Fantasía final, el viaje hacia el paraíso.

Frida, la mujer de Crock, es descrita como "apetitosa y limpia"; llena de sensualidad, ella misma justifica su actitud con el Maestro dada la ausencia de su marido. Ante la situación desgraciada de Crock, siempre se muestra muy agresiva e hiriente y solo actúa más afectuosamente cuando recibe los regalos que Crock le ofrece y al ver cómo ha podido obtener el dinero para comprarlos. Al final se muestra algo compasiva e incluso cercana a Crock: "Nunca se me había ocurrido pensar que pudiera ser bonito pasear sola por el campo una noche como esta".

Al final de la Parte Segunda parece presentir la muerte de Crock y lo llama desesperadamente.

Frank, el Jefe de Personal, está descrito muy despectivamente: "es un tipo de hortera refinado", de "palidez biliosa", y con "cara de odio reconcentrado"; en el fondo es el resultado de no conseguir en la vida más que muy poco; repite el gesto de frotarse las manos con frecuencia. Es déspota, estúpido y ni siquiera cruel, casi un personaje caricaturesco.

Livi, el Jefe de Servicios Administrativos, aparece descrito de igual modo despectivamente, aunque de forma más breve: "Es bajo y pálido. Casi amarillento". Es legalista, estúpido y caricaturesco.

Los Tres Empleados "Son tres tipos que parecen hermanos siameses". Además los tres llevan *Marca* en el bolsillo. Crock les repite que son hombres, que tiene derechos, pero ellos afirman que él está loco. Francamente estúpidos, repiten tópicos. No son inofensivos ya que atacan a Crok físicamente. Cumplen órdenes y no piensan por sí mismos. Están descritos igualmente de forma caricaturesca. La existencia de Pim, Pam, Pum está sugerida como observaremos, no sólo por sus nombres sino también por su traje idéntico, sus gestos, y sus actuaciones.

El Director de la oficina es un "tipejo delgadito, muy elegantemente vestido, que lleva un bigotito muy cuidado y cuyos ademanes son los de un perfecto histérico". Influenciado por Frank y Livi se muestra antipático, inflexible y cruel con Crock.

El Conserje "legalista", "sibilino", autoritario y déspota con Crock, aprovecha la supuesta debilidad de este último.

La Sra. Slamb, la dueña de la pensión, "Desgreñada, sucia y relativamente bondadosa", a veces se compadece de Crock pero siempre pretende cobrar por encima de todo.

El Vigilante, fiel cumplidor de su deber, no se atiene a los hechos sino a las apariencias. Incapaz para el razonamiento su comportamiento puede llevar de ese modo a situaciones absurdas.

El Maestro, Joven, apuesto, autoritario con Frida, amable con Crock; aparentemente vulgar, no presenta complicaciones.

En cuanto a una posible clasificación onomástica, tendríamos varios tipos de nombres:

- los nombres que aluden a un campo léxico que hace referencia a nombres extranjerizantes más o menos eufónicos y significativos: Crock, Frank, Livi, Frida Sra. Slamb;
- nombres que aluden a un campo léxico que hace referencia a su función en la acción dramática: Amigo, Conserje, los Tres Empleados, Director, Negociante, Secretaria, Vigilante, Maestro, y
- nombres que aluden a un campo léxico que hace referencia a su connotación eufónica: Crock, 'ruptura' y Pim, Pam, Pum, 'marionetas'.

2.3. *La comicidad*

En cuanto a las situaciones cómicas [39] éstas resultan de la repetición, de la inversión y de la interferencia de series. Como ejemplo de repetición podríamos fijarnos en el hecho de que Crock vuelve a colocar el florero en la mesa después de su discusión con el conserje; a continuación se enfrenta con él imaginariamente y canta feliz "La donna è movile". Posteriormente se regresa la situación inicial, por lo que podríamos entender una inversión.

Una interferencia de series se produce cuando el Amigo, enviado a la portería por Frank, lo mira divertido. Ello hace que incluso Frank se encuentre en una situación ridícula. Estas situaciones de interferencia de series se reiteran en las actuaciones del Director, Frank o Livi contempladas por Crock o por los espectadores.

La inversión que se produce en la Fantasía final también presenta ciertos rasgos de comicidad puesto que todos los personajes que lo habían rechazado procuran ahora ayudarlo.

39. Ver Bergson, Henri, *La risa*, Valencia, Prometeo, 1950, y Casares, Julio, "El humorismo y otros ensayos", *Obras Completas*, Vol II, Madrid, Espasa-Calpe, 1961.

En cuanto a los personajes habría que señalar como elementos cómicos la capacidad de funcionar automáticamente y de eliminar todo sentimentalismo, el aislamiento del rasgo que se le atribuye al personaje, la concentración de la atención sobre los gestos, las actitudes y no sobre los actos y también la inversión.

De entre todos estos rasgos, observamos la aparición con insistencia del primero, que coincide curiosamente con el segundo puesto que el automatismo consiste en la inflexibilidad, en el legalismo, en el seguimiento hasta el absurdo de las normas; aparecen en menor medida los otros dos últimos rasgos.

Es evidente que la ridiculización chaplinesca de los personajes mediante la utilización de la pantomima y el "slapstick" no resta humanidad a los dos personajes esenciales dramáticamente: Crock y el Amigo.

No serían destacables los recursos empleados para conseguir comicidad en el lenguaje, si bien existe cierta actitud general de distanciamiento irónico por parte del autor que pretende ser transmitida al espectador.

3. *Comunicación escénica* [40]

En cuanto al aspecto del movimiento en escena (kinésico) de la obra, es decir, los signos gestuales y de movimiento, observamos que el autor señala, en las acotaciones, numerosas notas que hacen alusión a los signos gestuales. Estos indican una expresividad acusada si bien no hiperbolizada sobre todo cuando se refieren a Crock; en otros casos estos signos gestuales enfatizan lo caricaturesco del personaje y aparecen con mayor insistencia.

En lo que respecta a los signos de movimiento, se señalan en las acotaciones las entradas y salidas de los

40. Ver Gouhier, Henri, *L'essence du théatre*, Paris, Aubier Montaigne, 1968; Kowzan, Tadeus, "El signo en el teatro. Introducción a la semiología del arte del espectáculo", en Adorno, T. W., *El teatro y su crisis actual*, Caracas, Monte Avila, 1969; y Wagner, Fernando, *Teoría y técnica teatral*, Barcelona, Labor, 1974.

personajes, pero no son tan numerosos como los gestuales. No obstante es una obra dinámica puesto que la presencia y ausencia de los personajes se sucede con relativa rapidez.

Julio Diamante en el citado artículo "Mi dirección de *El tintero*", afirma: "los personajes son arquetipos. Por ello, la interpretación no debe ser naturalista. Los papeles deben ser representados con evidente exageración: Amplificar los gestos, distorsionar las voces, contorsionar los movimientos. Los personajes del Amigo y Frida admiten sin embargo una interpretación más normalista. Son menos arquetípicos" [41].

Observemos ahora los signos escenográficos. En cuanto al *espacio* éste es interior en toda la obra excepto en el Cuadro Tercero de la Parte Segunda cuya acción se desarrolla en un parque. En la Fantasía final, el espacio es supuestamente abierto, pero dado el cambio de espacio y tiempo que se ha producido con respecto a la acción anterior, el espacio es un espacio indeterminado que lo crea el mismo escenario.

El autor señala al principio de la obra que el *decorado* ha de ser "totalmente esquemático"; es decir, con los elementos mínimos, pero "todos procurarán dar idea del lugar en que nos encontramos, con toda exactitud".

En "Mi dirección de *El tintero*", Julio Diamante hace unas observaciones muy interesantes en torno al decorado de la obra. Explica que dado que la obra tiene nueve cuadros, se plantea el problema de conseguir una fluidez en la representación. Los muebles que aparecen en escena serán escasos: una cama en la habitación de Crock, que servirá igualmente para la casa del pueblo; una mesa en el despacho de Crock, y otra en el de Livi, que no se cambiarán para figurar en los despachos del Negociante y del Director. "Será conveniente, señala J. Diamante, que tanto la cama como las mesas tengan la menor personalidad posible para que el ambiente de cada cuadro se deduzca de los lienzos y del pequeño «atrezzo»" [42].

41. Diamante, Julio, op. cit., p. 15.
42. Diamante, Julio, op. cit., p. 9.

En la Parte Primera, el Cuadro I se desarrolla en una oficina; a lo largo del desarrollo dramático, coincidiendo con la aparición de Livi, surgirá en el foro una lujosa mesa de despacho. El Cuadro II, tiene lugar en el despacho de un adinerado hombre de negocios. El Cuadro III, en el cuarto de "la miserable pensión" de Crock. El Cuadro IV, de nuevo tiene lugar en la oficina, pero ahora es en el lujoso despacho del Director.

La Parte Segunda se inicia en la pensión de Crock; el Cuadro II continúa en el despacho del Negociante; el Cuadro III, en el parque: "un banco y un árbol. La escena, vacía". El Cuadro IV, en la habitación de la casa de Crock, en la que todo es igualmente pobre: la vieja cama, la colcha, la mesita de madera. En la Fantasía final no existe decorado y la escena está vacía.

Así pues, y como indicaba el autor, decorado elemental con los elementos mínimos.

En cuanto a los *accesorios* también es significativa esa simplicidad de elementos: son escasos pero muy relevantes. Destacaría el florero que Crock coloca y retira de su mesa alternativamente para indicar la felicidad o la tristeza impuesta , la carta de despido, símbolo del fracaso y del rechazo hacia el protagonista, la barra de pan con la cuartilla en su interior, señal de la miseria por una parte y del deseo imposible de asimilar algo que nunca se va a admitir, el cortaplumas, como objeto de un crimen imaginario, los regalos que lleva Crock a su casa, las medias para su esposa y los caramelos para los niños, ambos sumamente connotativos, y, por último, los varios objetos que lanzan sobre le cuerpo de Crock todos los personajes en la Fantasía final, medicamentos como remedios inútiles ante la muerte. Y como objeto esencial en la obra, el tintero con el que brindan los Jefes para celebrar el despido de Crock.

En cuanto a la *luz,* observamos que la mayor parte de la pieza se desarrolla en claroscuro, en iluminación por campos, muy contrastada [43]. El autor señala que "la luz desempeña un papel, si no esencial, sí, al menos, muy importante. Debe subrayar los momentos más dramá-

43. Diamante, Julio, op. cit., p. 15.

ticos, tales como la escena final del primer acto, la recepción del cese en la pensión de Crock y el momento en que Crock queda solo en el parque...". Se podrían añadir igualmente la aparición en la escena de la mesa de trabajo de Livi, la aparición del Director, escena acompañada de una "luz blanca y desagradable", la conversación entre Crock y el Amigo que tiene lugar en la habitación de la pensión, durante la cual "queda la escena en una tibia penumbra", y sobre todo la escena de la Fantasía final en la que aparecerá Crock "hecho un ovillo, en el suelo" y en la que solo se ve la cámara oscura del escenario".

En cuanto a los *signos acústicos* el autor indica que "Una música adecuada debe servir de fondo a los pasajes que se señalan expresamente a lo largo de la acción. Para los momentos muy alegres, debe utilizarse una ligera marcha norteamericana. Los momentos dramáticos se marcarán con una melodía triste; una melodía que tenga mucha fuerza expresiva. No importa que resulte un poco desagradable. En la escena final se oirá, como fondo, una marcha fúnebre".

En la mayoría de las ocasiones no se señala en las acotaciones el tipo de música por lo tanto todo hace pensar que son suficientes la indicaciones iniciales y que se deja al director de escena la elección de la música.

En otras ocasiones la música impide escuchar lo que supuestamente dicen los personajes; así por ejemplo cuando aparece el Director en escena. Pero el momento en el que los signos acústicos son más relevantes será en el final del Cuadro IV de la Parte Segunda, momento en el que se escuchará el ruido del tren que se va aproximando, el chirrido de los frenos y el ruido de los vagones al golpear con los topes. Luego, el silencio.

En la Fantasía final los silbidos del tren, su puesta en marcha, su alejamiento y, por último, el hermoso "rumor de olas" final.

En cuanto la *indumentaria*, el autor indica que "los personajes deben vestir conforme a la categoría social que desempeñan". Las descripciones no son demasiado exhaustivas. "Sus frases –afirma el autor–, los definen sobradamente, y serán orientación suficiente para el director y el figurinista". Julio Diamante afirma en sus notas que: "Se hace sentir el caracter pesimista de la pieza utilizando en decorados y trajes tonos oscuros y colores fríos y haciendo aparecer por todas partes manchas, innumerables manchas" [44].

Nos remitimos en este aspecto de la indumentaria a las descripciones tipológicas que ya hemos anotado, haciendo observar que siempre resulta significativa a la hora de percibir el signo teatral que se presenta como visual y verbal simultáneamente. Solo añadiremos que en el conjunto existe una clara tendencia hacia lo caricaturesco tanto en la indumentaria como en el maquillaje, sin duda para provocar ese distanciamiento y esa mirada irónica por parte del autor y del espectador. Habría que anotar a este propósito la indumentaria de Crock en la Parte Segunda, sumamente connotativa: "Crock lleva un pijama a rayas horizontales y un gorro redondo, de dormir. Sobre el pecho, en el lado izquierdo, lleva bordadas toscamente unas iniciales que recuerdan no demasiado vagamente, los números de los presidiarios. En realidad todo su atuendo debe recordarnos el de un recluso. Este pijama lo llevará en todas las escenas, hasta el final". Y actuará como prisionero de las circunstancias, del entorno, de la vida.

A propósito de la puesta en escena de la obra, en el ya citado artículo "Mi dirección de *El tintero*", Julio Diamante hace unas interesantes reflexiones sobre la misma y sobre las dificultades que le supuso; así señala: "Es curioso observar la frecuencia con que los artistas de tendencia expresionista han sido representantes de un auténtico sentido realista, vinculándose estrechamente al medio en que vivieron, mientras otros, que levantaban pomposamente la enseña del realismo, no consiguieron más que presentar aquellos aspectos de la realidad más pobres, más esquemáticos, más desprovistos de significado. Farsa y espresionismo, simbolismo y realismo se conjugan en *El tintero*. El primer problema que se plantea al director escénico es

44. Diamante, Julio, op. cit., p. 15.

conseguir que todos estos elementos formen un producto homogéneo, equilibrado" [45].

El director, después de comentar la puesta en escena minuciosamente, se detiene en el Cuadro IV de la Parte Segunda, en la interpretación de los actores y afirma: "Me ha parecido siempre este cuadro delicadísmo por varias razones: a) Porque dado el entusiasmo con que Crock habla del pueblo y el menosprecio con que trata a la ciudad, puede producirse un apartamiento del problema central para pasar a ser un conflicto de aldea y corte; b) Porque la historia de la venta del cuerpo de Crock puede dramatizar excesivamente este personaje; c) Porque hay que conseguir que la dignidad humana de Crock no se vea malparada por su calidad de hombre engañado; d) Porque la idea que tengo de lo que es un maestro y, más aún la realidad en que éstos viven, me hacen difícil imaginar a alguien que lleve este título genérico como un personaje adecuado para tentar a una mujer que ansía evadirse de una realidad miserable. Y no por dudar de la capacidad amatoria de los maestros, sino por una serie de hechos económicos y espirituales que concurren en ellos" [46].

Propone entonces el director las siguientes soluciones: "a) Ausencia de énfasis. Huir de un lirismo blandurrón; b) Ausencia de énfasis. Humor -negro-, pero mucho humor; c) Ausencia de énfasis. Humanidad. Comprensión de que el pobre Crock, por no tener, no puede tener ni honor. El Woyzeck de Buchner, personaje con el que Crock tiene un gran parecido, como de familia, la numerosísima familia de los desdichados, explica en cierta ocasión cómo el carecer de un reloj y de un sombrero y de un bastón, le hace carecer también de virtud. Si tuviese reloj y bastón y sombrero, sería en cambio un hombre virtuoso. El caso de Crock es bastante parecido. Si tuviese empleo, casa y comida, tendría también honor y podría verlo mancillado y todo eso. Mas como nada tiene, es simplemente Crock, un desgraciado; d) Que el Maestro sea muy poco maestro. Que dé la impresión de que no ha visto un libro en toda

45. Diamante, Julio, op. cit., p. 9.
46. Diamante, Julio, op. cit., p. 14.

su vida. Que sea tosco, rudo, membrudo, bigotudo, despótico: que no se le haya caído el pelo y que tenga la piel bien curtida. Es decir, la antítesis de Crock. Además estará lleno de contradicciones: valentón y cobarde, desvergonzado, pero con incrustaciones de falso pudor... A la entrada del Maestro se plantea entre los tres una compleja situación, en la cual es preciso que el juego de actores sea muy medido para un planteamiento exacto del conflicto, que viene dado por las personalidades de Crock y el Maestro. Serán precisos una gran adecuación de tono y de gestos. Incluso pueden buscarse subsituaciones que ayuden a aclarar la situación principal" [47]. Termina hablando de éstas y precisando los efectos de sonido adecuados a la escena.

4. La recepción crítica

La tragicomedia del burócrata contaba con ilustres antecedentes; así, *El inspector* de Gogol o *La chinche* de Maiakowsky. Pero Carlos Muñiz, impulsado por el afán de enfatizar lo universal y eliminar lo particular, elige la farsa, un género en el que se deben amalgamar elementos muy diversos; tal vez por ello cierto crítico le reprochaba el querer decir demasiado dentro del género seleccionado [48]. No obstante el día del estreno, un 15 de febrero de 1961, miércoles, la representación fue interrumpida 21 veces por los aplausos del público. Al final el telón se levantó más de 20 veces. Aun así, en el diario *Marca*, se decía que el éxito que obtuvo la obra se debió además de a sus valores literarios, a la rebeldía y a la vanguardia.

En el diario *Madrid* se decía en la crítica lo siguiente: "Lo que importa de veras es la fluidez del diálogo, el acertado encuadre de las situaciones, la humanidad y la tensión dramáticas, el acusado simbolismo y universalidad del personal caso de Crock, y la bien lograda mezcla de dramatismo, humor y poesía que hay en la farsa" [49].

47. Diamante, Julio, op. cit., pp. 14-15.
48. Alvaro, Francisco, op. cit., p. 17.
49. Alvaro, Francisco, op. cit., p. 20.

José Monleón, en la reseña que dedica a la obra incluida en *Primer Acto,* afirma que la obra "responde a unas exigencias de mi generación. Responde a la apetencia de llevar a los teatros a un público más abierto y numeroso que el actual. Responde al afán de romper una serie de falsillas sobre las que se escribe mucho teatro español contemporáneo. Responde a un impagable deseo de responsabilizar al autor y responsabilizar al público. De poner al teatro en el lugar comprometido y difícil que le corresponde". Y sigue: "Es una determinada visión social que encuentra su expresión en esta farsa de la burocracia... Por su forma estética y por la forzada inexperiencia de su autor, la pieza acusa diversos trazos discutibles. Junto a los subrayados de monstruosidades ciertas, el mal humor le traiciona a veces y le hace ser arbitrario. También cabe objetar la presencia de ciertas escenas que alejan al espectador de la problemática inicialmente planteada. Los dos defectos, sin embargo, me parecen perdonables. El primero porque un realismo expresionista y tragicómico es fórmula de naturaleza compleja y descoyuntada. El segundo, porque nace de un propósito estéticamente y sustancialmente serio: el de no reducir el problema de Crock a un caso puramente económico.... Es probable que, en un orden dialéctico, no estén del todo claras las ideas de *El tintero*. Quizá, en definitiva este Crock tenga su paralelo en el humanismo de Charlot, aunque no alimente ni la rebeldía última ni la pequeña crueldad defensiva del personaje chapliniano" [50].

Sergio Nerva insiste en el éxito del estreno: "La obra consiguió de principio a fin una acogida excepcional de un público juvenil y docto y, por lo tanto, excepcional también. Se aplaudieron frases, situaciones y término de actos. Contribuyó a ello la inteligente y comprensiva dirección de Julio Diamante... Tuvo en cuenta la significación de los valores literios y plásticos de *El tintero* y no los estorbó ni los redujo para resaltar personalismos propios" [51].

50. Monleón, José, "*El tintero* de Carlos Muñiz", *Primer acto,* 20 (1961), p. 46.

51. Nerva, Sergio, "Carlos Muñiz: de la generación contra el tedio", *Primer acto*, 20 (1961), p. 4.

Daniel Sueiro, por su parte, subraya la posible doble recepción de la obra: la aceptación o la repulsa: " es en *El tintero*... donde está toda la fuerza de este doble hecho contradictorio, donde radican las hondas razones de la atracción o la repulsa de distintos públicos, donde se disparan los signos negativos o positivos del problema. Toda obra de este tipo admite diversos puntos de vista, pero en ésta veo que no hay medias tintas ni compasión alguna. Hiere hasta en lo hondo: a unos para dejarles quietos, mudos y con mal sabor de boca; a otros, para levantarlos del asiento con entusiasmo" [52].

En la "Nota preliminar" al texto de *El tintero* que publica *Primer Acto*, Carlos Muñiz hace unas interesantes apreciaciones que tienen que ver con la recepción de la obra. Afirma que durante las representaciones ha pasado muchas horas estudiando las reacciones del público y que ha podido comprobar que hay ciertos momentos en los que decae el interés del espectador medio. Cree que éstos son: 1) el segundo cuadro del segundo acto, en casa del Negociante; 2) la escena en la casa del pueblo, con la mujer y el Maestro y, 3) la escena del parque cuando sale el Vigilante para consultar al Vigilante jefe; en esos momentos la oficina deja de ser el elemento antagónico de Crock, para quedar como simple motivo de fondo. Precisamente en esos momentos la acción parece más natural, menos expresionista. Prueba de ello es que después de la muerte de Crock, cuando aparecen al final los personajes de las escenas más absurdas, se nota una reacción de entrega absoluta en el espectador y la representación termina con la complacencia casi general. "Este sencillo procedimiento de estudiar la obra a través de las reacciones del público, me obliga a hacer mía la teoría brechtiana de que la obra dramática no puede considerarse terminada hasta después de haber sido presentada al público y haberse procedido a las oportunas modificaciones para la más total aceptación por su parte. Un drama no es tal drama si carece

52. Sueiro, Daniel, "*El tintero*, polémica", *Primer acto*, 20 (1961), p. 6.

del elemento esencial que es el público" [53]. A continuación expone una serie de modificaciones sugeridas por la "puesta en pie", como afirma el autor, de la obra.

En 1962 *El tintero* fue llevada por el Teatro Experimental de Lisboa al Teatro de las Naciones de París. Se la relacionó con el teatro de Beckett, con Ionesco, Kafka, o Ghelderode..., con el teatro del absurdo. Y a este propósito no podríamos negar que *El tintero* responde si no a la destrucción de la lógica, como la que propone el absurdo, sí al menos a una ironización sobre la misma. De todos modos y si se trata de asombrar al espectador de manera que éste repare en elementos no observados, de modo que se vea obligado a descodificar ese extrañamiento, estamos en el terreno de lo absurdo, en la frontera entre lo esperpéntico, lo trágico, lo humorístico y lo ilógico. De ahí su aceptación o su rechazo, la atracción o la repulsa, pero nunca la indiferencia en su recepción.

2. Miserere para medio fraile

1. *La semántica del texto dramático*

La obra, dedicada a Javier Calvo, aparece editada por vez primera en 1966.

Resumimos en primer lugar el argumento. La acción de *Miserere para medio fraile*, subtitulada "Boceto de homenaje al poeta San Juan de la Cruz", está inspirada en el encarcelamiento de San Juan en Toledo durante los años 1577 y 1578. Frente al protagonista y sus deseos de reforma se alzan los Calzados, representantes de la antigua orden de los carmelitas que castigarán a San Juan. Al final el tiempo y la literatura darán la razón al santo y todo será olvidado con el perdón.

53. Muñiz, Carlos, "Nota preliminar" a *El tintero*, *Primer acto*, 20 (1961), p. 16.

El núcleo temático es pues el deseo de libertad frente a la opresión. En cuanto a los modelos semánticos operantes o temas secundarios tendríamos los siguientes:

- en el campo de referencia a la verdad y falsedad, se observa que lo innovador se identifica con lo verdadero, lo positivo, lo evangélico, en tanto que lo conservador se identifica con lo falso, lo corrupto, lo antievangélico;
- en el campo de las relaciones sociales, están presentes la agresividad frente a la humildad, el deseo de persuasión frente a la perseverancia en la verdad, y la creencia en la maldad humana frente a la obligación de extender la bondad; y,
- en el campo de las creencias religiosas, la identificación del amor a Jesucristo con la pobreza frente a la riqueza así como el inmenso valor del perdón.

Signos cronológicos.

El autor señala "Epoca de guerra entre hermanos", pero alude como ya hemos anotado, al encarcelamiento de San Juan de la Cruz en Toledo, en la segunda mitad del siglo XVI. Lugar: "España, como siempre".

En la acotación inicial afirma el autor que los frailes que aparecen en la escena: "Parecen recién escapados de un cuadro de El Greco", y sigue "aunque el pintor por aquellas fechas anduviera por los treinta años y no hubiera pintado todo lo que nos dejó como herencia". Es la época del Santo Oficio, "la época en la que nacieron y vivieron héroes, poetas, santos y nobles castellanos".

Citan los frailes Cronistas los tiempos de la Reforma y de la Contrarreforma; todo lleva a pensar que se trata de la Reforma del Carmelo; el fraile Visitador leerá además al reo la intimidación de los actos del Capítulo de Piacenza. En él, que tuvo lugar en 1577, el Superior General de la Orden del Carmen denunció la Reforma y entregó el mando a los Calzados.

No hay pues una indicación temporal si bien la estructura dramática interna y externa presenta una alternancia temporal desde el Presente al pasado que luego revisaremos.

En cuanto a los signos sociales, hay una clara alusión a los dos tipos de religiosos, los reformadores y los conservadores de la Orden del Carmelo, igualmente una exposición de la disciplina circular practicada por los miembros del Convento de los Calzados sobre San Juan mientras se entonaba un "Miserere", el Salmo 50 que empieza con esa misma palabra, así como la inclusión al final de la obra de unos versos del *Cántico Espiritual*.

2. *La estructura dramática*

La obra se presenta en un Acto único y aparece con un subtítulo. Ya hemos apuntado que existe en la obra una estructura externa e interna alternante que corresponde a dos niveles temporales: el presente y el pasado. El presente en el que hablan los cronistas y el pasado que refleja el conflicto entre los Calzados y Fray Juan. Tendríamos:

1: (Presente): Cronistas: Introducción: discusión sobre la Reforma del Carmelo
2: (Pasado): Secuestro de Fray Juan y humillación
3: (Presente): Cronistas: Comentan los hechos
4: (Pasado): Juicio de Fray Juan:
  1 Lectura al reo de la intimidación de los actos del capítulo de Piacenza
  2 Interrogatorio: se le pregunta a Fray Juan si se arrepiente; él no se retracta
  3 El Visitador intenta persuadir a Fray Juan, pero éste permanece firme
  4 El Visitador le ofrece regalos, pero no consigue nada
  5 Se dicta la sentencia
5: (Presente): Cronistas: los frailes comentan los hechos
6: (Pasado): Se le aplica a Fray Juan la disciplina circular
7: (Presente): Cronistas: Comentan lo que sucedió a Fray Juan
8: (Pasado): Versos de Fray Juan
9: (Presente): Los Cronistas se refieren al olvido y al perdón.

Es por lo tanto una pieza teatral que no se atiene a la estructura tradicional, en la que todos los personajes en escena provocan una gran tensión dramática y en la que los cronistas son personajes que relacionan niveles de conocimiento diversos con respecto a hechos y personajes. En lo que concierne al desenlace, éste se presenta como coherente y lógico con el desarrollo dramático anterior además de lleno de esperanza.

La acción dramática se concentra en la relación problemática, de conflicto entre Fray Juan y los otros personajes, los frailes de la Orden del Carmelo.

Personajes

Funcionalmente tendríamos lo siguiente:

Personajes principales:

Cronistas: ayudantes a la relación (Acción dramática única)
Fray Juan: adversario a la relación (Acción dramática única)
Visitador: adversario a la relación (Acción dramática única)
Prior: adversario a la relación (Acción dramática única)

Personajes secundarios

Fraile anciano: adversario a la relación (Acción dramática única)
Varios frailes: adversarios a la relación (Acción dramática única)

Tipológicamente Fray Juan hace su aparición en la escena rodeado por los otros frailes; es "un hombre pequeño, vestido como el cronista 2°, maniatado y con el rostro pálido y sorprendido". Más adelante se alude a su corta estatura y se le llama "enano".

Fray Juan soporta las humillacione a que es sometido, y afirma que el Papa admite la Reforma, que él no quiere imponerla y que no pretende acabar con el poder de nadie. Se niega a desprenderse de sus pobres y queridos hábitos, pero le visten a la fuerza. Tiene aún ánimos para preguntar cómo van a juzgarle siendo jueces y parte. Insiste en que no se ha alzado nunca contra la autoridad, por eso no se arrepiente ; él solo se ha comportado "con rectitud, con obediencia y amor a mis hermanos". Entonces para doblegar su actitud, le amenazan con el apaleamiento. Ante la pregunta de por qué se muestra tan hostil responde que "Porque sé que mi camino es el verdadero... Porque vosotros habéis roto la puerta de mi casa, os habéis abalanzado sobre el lecho en que dormía, y maniatado y con la boca tapada, me habéis privado de la libertad". Está convencido de que solo Dios puede cercenar el libre albedrío y no lo hará porque quiere que sigamos siendo humanos.

Frente al soborno a que es sometido, Fray Juan responde que si lo admitiese, ello "sería renunciar a la verdad, a la justicia". Para él la justicia, la verdad "es lo único noble de este mundo de miserias y mezquindades". Es entonces cuando es acusado de soberbia puesto que afirma pretender que los hombres mejoren.

Después de ser condenado ya que no se retracta, es sometido a disciplina circular: el permanece de rodillas, en el suelo, en medio de todos los demás frailes, que forman un círculo a su alrededor; y ellos, con unas disciplinas, descargarán un latigazo en las espaldas desnudas de Fray Juan. El se quedará "hecho un ovillo de dolor y de amor". Luego recitará unos versos de su *Cántico Espiritual* para, por último, quedarse en oración.

Los Cronistas son "dos frailes largos, pálidos, flacos, imponentes, que parecen recién sacados de un cuadro de El Greco". Ambos llevan hábitos marrones, pero el Cronista 1º, con gran capilla sobre los hombros, larga capa y botas; el Cronista 2º, con capilla corta, capa a media pierna y sandalias. Los dos llevan cerquillo en la cabeza que deja el cráneo al descubierto.

Los Cronistas hablan en tono declamatorio de los tiempos de la Reforma del Carmelo. Cada uno dirá una frase que dejará ver su modo de pensar. Lo único en lo que están de acuerdo, en la primera intevención, es en que se cometieron errores humanos que luego fueron superados. Comentan los hechos cuando la tensión dramática aumenta. Al final intervienen contando lo que sucedió después a Fray Juan: logró escapar descolgándose por una ventana y llevó a cabo la Reforma. Terminan recordando el deber del olvido y del perdón.

Los demás frailes llevan hábitos como el Cronista 1º excepto como ya hemos anotado, Fray Juan, que viste igual que el Cronista 2º. Al principio de la obra comienzan atacando verbalmente a Fray Juan por reformador, siendo alentados en esa actitud por el Visitador; luego piensan incluso en un derramamiento de sangre.

Tanto el Prior como el Visitador se muestran intransigentes con Fray Juan y lo obligan a cambiarse de hábito, pero, ante la falta de argumentos, no podrán siquiera formular la acusación y el Prior afirmará finalmente: "Tú conoces tu culpa tan bien como nosotros la conocemos". El Visitador utilizará como recurso último la persuasión, el tono dulce y convincente: "Desciende de tu soberbia... Y si lo haces tendrás un priorato y buena celda y buena biblioteca para que escribas versos de esos que tú escribes". Luego intentará sobornar a Fray Juan regalándole una caja con un crucifijo de oro y piedras preciosas con el fin, según explica, de que le sirva de inspiración en su trabajo. Ante la negativa de Fray Juan todos se muestran crueles, intransigentes; por fin, dispuestos a ejercer el poder de la fuerza, azotarán a Fray Juan hasta dejarlo exhausto.

Todos los nombres, excepto el de Fray Juan, aluden a un campo léxico que hace referencia solo a su función en la acción dramática; así los Cronistas, el Visitador, el Prior, o simplemente, los frailes.

3. *La comunicación escénica*

En cuanto a los signos de movimiento en escena (kinésicos) y más exactamente a los signos gestuales, habría que hacer notar que no son numerosos pero sí significativos; así por ejemplo los frailes Cronistas, "sentados en sus plintos, inmóviles y ocres como estatuas de barro", aparecerán en escena solemnes, ceremoniosos, algo rígidos y con movimiento ligero, "casi fantasmal", harán frecuentes reverencias al público.

Los demás frailes se muestran gesticulantes cuando amenazan,"con movimientos ágiles, rítmicos y en ciertos momentos estridentes", cuando atacan a Fray Juan; violentos, crueles, pero también "agotados por el esfuerzo", tras azotar a Fray Juan, y por último con actitud beatífica cuando salen de escena al final de la obra.

El Prior, de enormes brazos, "con un gesto de paz y sosiego", se somete a la autoridad del Visitador, quien al igual que el anterior, se muestra autoritario, a veces "hueco y campanudo", "con ligero acento portugués"; en otras ocasiones con pretendido tono convincente pero siempre, de "imponente gesto".

Fray Juan se muestra siempre humilde, con movimientos lentos, a veces "deshecho y humillado"; responde que no se retractará "dulce y mansamente", pero con "voz serena"; cuando llega el momento de sufrir el castigo "mansamente desnuda sus espaldas". Al final, el pequeño fraile, que ha caído deshecho por el dolor, se levanta poco a poco y alza la vista al cielo, recita unos versos, cae de rodillas y "queda en íntima actitud de rezo".

En cuanto a los signos de movimiento, aparecen éstos en estrecha relación con los gestuales, ya que los gestos acompañan a los movimientos que se suceden en escena, pausados y lentos en Fray Juan, solemnes y rígidos en los Cronistas, autoritarios en el Visitador y el Prior, violentos en la mayoría de las ocasiones, en los demás frailes. Es una pieza en la que abundan los movimientos rítmicos que alcanzan su momento culminante en la situación dramática de la disciplina circular ya que todos los frailes se colocarán en círculo, descargarán el latigazo y avanzarán para dejar lugar al que venga detrás, todo ello siguiendo el peculiar ritmo de la recitación del Miserere.

En cuanto al *Espacio* y al *Decorado*, nos encontramos con un espacio interior en el que la escena está casi desnuda y que no cambia en toda la obra; así pues, espacio y decorado permanentes.

Al principio de la obra el autor nos explica que en el centro de la escena hay un practicable sobre el que vemos tres mesas colocadas en forma de U, con la abertura hacia el espectador. Detrás de las mesas, bancos de madera. A ambos lados del escenario, pegados a los laterales, dos plintos de medio metro de altura. Sobre ellos sentados en severos asientos, los dos frailes. No cambia a lo largo de la obra.

En cuanto a los *accesorios* destacarían la caja que el Visitador ofrece a Fray Juan y que contiene un precioso crucifijo, el pergamino que el Prior lee con la sentencia de Fray Juan, y las disciplinas que utilizan los frailes.

La *luz* es muy importante en la puesta en escena ya que gracias a ella se irán creando los espacios dramáticos adecuados. Además a este propósito el autor va señalando convenientemente los oscuros en las acotaciones.

Los *signos acústicos* igualmente son de gran relevancia; el momento más importante, ya que en él se enfatiza la tensión dramática de la obra, es la entonación del "Miserere" que acompaña la aplicación de la disciplina circular. "Deberá elegirse, entre todas las músicas compuestas para entonar el "Miserere", aquella que tenga un sentido más dramático". Cuando Fray Juan se levanta para recitar los versos del *Cántico Espiritual* se escucha un "Gloria" que no se especifica. Pero no solamente la música aparece en esos dos momentos tan relevantes para el dramatismo de la obra sino que acompaña otras situaciones de tensión también extrema de modo que termina dejando de ser música para convertirse en ruido estridente; así lo vemos en el momento dramático de la lectura de la sentencia.

Con respecto a la *indumentaria* es evidente que son sumamente significativos los dos tipos de hábito de los que son ejemplo el Cronista 1° y el Cronista 2°, es decir, el hábito de los conservadores y el hábito de los reformadores. Igualmente es significativo el momento en el que Fray Juan es obligado a despojarse de su hábito y revestirse con un hábito de otro fraile. "Es un fraile muy alto, de forma que cuando vistan el hábito al frailuco, éste parecerá embutido en un montón de trapos". Revestido de dignidad con su pobre hábito, ahora parecerá todavía más miserable.

Todo nos lleva a pensar en la pieza dramática como conjunto de signos de diversas procedencias, articulados por la coherencia y la unidad que les da sentido y que es sin duda fruto del talento y de la capacidad creadora del autor dramático.

BIBLIOGRAFÍA SELECTA

AAVV, "Quien es quien", *El Público*, 9 (1985), pp 66-71.

AAVV, *Primer acto*, 20 (1961).

ÁLVARO, Francisco, "*El tintero*, farsa de Carlos Muñiz", *El espectador y la crítica (El teatro en España en 1961)*, Valladolid, 1962, pp. 16-20.

BORRÁS, Ángel, "Sound, Music and Symbolism in Carlos Muñiz's Theatre", *Romance Notes*, 12 (1979), pp. 32-35.

CAZORLA, Hazel, "Simbolismo en el teatro de Carlos Muñiz", *Hispania*, 48 (1965), pp.230-233.

DIAMANTE, Julio, "Mi dirección de *El tintero*", *Primer acto*, 20 (1961) pp. 8-15.

DONAHUE, Francis "Carlos Muñiz and Expressionist Imagination", *Romance Notes*, 15 (1972) pp. 230-233.

LLABRÉS, Jaime, "Carlos Muñiz, un representante de la nueva generación", *Papeles de Son Armadans*, 110 (1965), pp. 217-228.

MONLEÓN, José, "Carlos Muñiz y su compromiso", y "*El tintero* de Carlos Muñiz", *Primer acto,* 20 (1961).

MONLEÓN, José, "Los "Nuevos Autores" en el teatro español contemporáneo", *Insula*, 456-457, (1984), p. 1.

MUNIANI, Carlos P. de, "Hallazgo de una obra comprometida", *Primer Acto,* 63 (1965), p. 13.

MUÑIZ, Carlos, "Nota preliminar" a *El tintero*, *Primer acto,* 20 (1961). pp. 16-17.

MUÑIZ, Carlos, *Cuadernos para el diálogo*, 111 (junio, 1966).

MUÑIZ, Carlos, "Introducción" a la *Tragicomedia del Serenísimo Príncipe Don Carlos*, Madrid, *Cuadernos para el diálogo*, 1974.

NERVA, Sergio, "Carlos Muñiz: de la generación contra el tedio", *Primer acto*, 20 (1961) pp.4-5.

NÚÑEZ, Antonio, "Carlos Muñiz en los textos, las palabras y las canciones", *Insula,* 196 (marzo 1963), p. 5.

OLIVA, César, "Disidentes de la generación realista (Introducción a la obra de Carlos Muñiz, Lauro Olmo, Rodríguez Méndez y Martín Recuerda), *Anales de la Universidad de Murcia*, 37 (3) (1978), pp. 77-180.

RAGUE ARIAS, María José, "4 autores ante la transición. El teatro español, a los cinco años de 1975", *Primer Acto*, 186 (1980), pp. 150-155.
SASTRE, Alfonso, "Problemas dentro y fuera de *El Tintero*", *Primer acto*, 20 (1961) pp. 3-4.
SUEIRO, Daniel, "*El tintero*, polémica", *Primer acto*, 20 (1961) pp6-7.
TORRES NEBRERA, Gregorio, "Construcción y sentido del teatro de Carlos Muñiz", *Anuario de Estudios Filológicos*, 9 (1986), pp. 295-316.
WHITE, Victoria Barrera, "The theater of Carlos Muñiz", Disertación Doctoral, Florida State, 1975, *Dissertation Abstracts International*, 36 (1976), 5343 A
WILSON, Charles, "Un estreno del G.T.R.: *El tintero* de Carlos Muñiz", *Insula*, 172 (1961), p. 15.
ZELLER, Loren L., "Carlos muñiz and the Spanish Theater of Social Protest", Disertación Doctoral, Iowa, 1970, *Dissertation Abstracts International*, 31(1970), 2947 A.
ZELLER, Loren L., "La evolución técnica y temática en el teatro de Carlos Muñiz", *Estreno*, 2, 2 (1976), pp. 41-49.
ZELLER, Loren L., "Two Expressionistic Interpretations of Deshumanization: Rice's *The Adding Machine* and Muñiz's *El tintero*", *Essays in Literature*, 2, 2 (0toño 1975), pp. 245-255.

NOTICIA BIBLIOGRÁFICA

OBRAS TEATRALES DE CARLOS MUÑIZ

1956: *Telarañas.*
Madrid, Escelicer, Alfil, 1956.

1957: *El grillo.*
Madrid, Arión, 1957.
Madrid, Alfil, 1965.

1961: *El tintero.*
Madrid, Escelicer, 1961, 1962, 1967.
Primer Acto, 20 (1961) pp. 18-44.

1961: *El guiñol de Don Julito.*
Madrid, Doncel, 1961, 1967, 1969.

1963: *El tintero, Un solo de saxofón y Las viejas difíciles.*
Madrid, Taurus, 1963 Ed. de J. Monleón; 1969, 1970.

1965: *El caballo del caballero*, en *Primer Acto*, 63 (1965), pp. 14-17.

1965: *El precio de los sueños.*
Madrid, Alfil, 1965.

1966: *Las viejas difíciles.*
Madrid, Alfil, 1966, 1967.

1966: *Miserere para medio fraile.*
Cuadernos para el diálogo, 111, (junio 1966) pp. 7-12.
Tiempo de historia, 4 (marzo 1975),pp. 84-100.

1969: *Los infractores.*
Primer Acto, 106 (1969), p..23-32.

1974: *Tragicomedia del serenísimo príncipe Don Carlos.*
Cuadernos para el diálogo, 1974.
Madrid, Preyson ,1984.

1980: *El tintero, Miserere para medio fraile.*
Salamanca, Almar, ed. de Loren L. Zeller, 1980.

ESTA EDICIÓN

Es necesario mencionar que para la preparación de este estudio nos ha sido de gran utilidad la interesante edidión de *El tintero y Miserere para medio fraile*, de Carlos Muñiz, preparada por Loren L. Zeller, editada por Almar en Salamanca, en 1980. En ella nos hemos basado para la fijación del texto y no señalamos variantes.

M.L.B.N.

EL TINTERO

EL TINTERO

FARSA EN DOS PARTES
Y UNA FANTASIA

Esta obra fue estrenada por la Compañía del G. T. R., en el Teatro Recoletos, de Madrid, la noche del 15 de febrero de 1961, con arreglo al siguiente

REPARTO

Por orden de aparición en escena

Crock. .... Agustín González
Conserje. .... Manuel Torremocha
Frank. .... Antonio Queipo
Amigo .... Antonio Casas
Livi .... Roberto Llamas
Pim. .... Antonio Medina
Pam .... Pedro del Río
Pum .... Pablo Isasi
Director y Negociante. .... Enrique Navarro
Secretaria. .... Julia M.ª Butrón
Señora Slamb .... Magda Roger
Frida .... Amparo Soler Leal
Vigilante .... Manuel Torremocha
Maestro. .... Vicente Ros

Voces que se oyen por un dictáfono

Decorados: Jardiel

Dirección: Julio Diamante

La acción transcurre en un lugar donde hay hombres, donde existe el dinero, donde la ambicion domina los corazones, donde no importa que un hombre muera.

Epoca actual. O hace cientos de años. O dentro de cientos de años, si no se pone remedio.

Dedicatoria:
A PAULA

Pero esta vida pachorruda
comodona y egoista, enemiga
de la acción viril y atenta a la
observación del ritmo cardíaco
y a prevenir incidentes digestivos
y pasionales ¿merece la
pena de ser vivida?

RAMON Y CAJAL

PARTE PRIMERA

El decorado de esta obra ha de ser totalmente esquemático. Los elementos de decoración de cada uno de los cuadros estarán reducidos al mínimo; pero todos procurarán dar idea del lugar en que nos encontramos, con toda exactitud, sin que quepa ninguna duda: el despacho del negociante será el despacho del negociante; la mesa de la oficina será la mesa de la oficina; la alcoba de la pensión de Crock será la alcoba de la pensión de cualquier pobre hombre.

Los personajes deben vestir conforme a la categoría social que desempeñan. La descripción que se hace de alguno de ellos, a lo largo de la acción, puede bastar para definirlo. Los demás no necesitan descripción. Sus frases los definen sobradamente, y serán orientación suficiente para el director y el figurinista.

La luz desempeña en esta historia un papel, si no esencial, sí, al menos, muy importante. Debe subrayar los momentos más dramáticos, tales como la escena final del primer acto, la recepción del cese en la pensión de Crock y el momento en que Crock queda solo en el parque después de que el vigilante se lleva detenido al amigo.

Una música adecuada debe servir de fondo a los pasajes que se señalan expresamente a lo largo de la acción. Para los momentos muy alegres, debe utilizarse una ligera marcha norteamericana. Los momentos dramáticos se marcarán con una melodía triste; una melodía que tenga mucha fuerza expresiva. No importa que resulte un poco desagradable.

En la escena final se oirá, como fondo, una marcha fúnebre.

CUADRO PRIMERO

Oficina de CROCK. CROCK, *sentado a su mesa, rodeado de voluminosos expedientes, de pilas de legajos, trabaja afanosamente. Parece una máquina.*

(Después de un largo silencio, durante el que sólo se oye el ruido de papeles que hace CROCK, *este deja de trabajar, se levanta, mira sigilosamente a los dos laterales y vuelve a su mesa frotándose las manos, con la expresión mas risueña, más humana. Abre un cajón de su mesa y saca un florero. Abre otro cajón y saca un pequeño ramo de flores. Coloca con esmero las flores y se pone a silbar. Las huele y respira hondo, con los ojos cerrados. Luego se sienta, y mientras silba en tono muy bajo, queda mirando, absorto, las flores, con expresión definitivamente feliz.*

Aparece el CONSERJE *con un montón de papeles, que deja, con ademán cansino, sobre la mesa de* CROCK. *Cuando se va a marchar, repara en el florero.)*

CONSERJE. —Buena mañana, ¿eh?

CROCK. —Muy buena. Una estupenda mañana de primavera.

CONSERJE. *(Despectivo.)* —Primavera... *(Con seriedad)* Señor Crock... ¿le parece bonito?

CROCK. —¡Me parece muy bonito!

CONSERJE. *(Sibilino.)* —También le parecerá bonito que dé parte de usted al Jefe de Personal...

CROCK. —No lo hará, ¿verdad?

CONSERJE. —Si le vuelvo a ver con esa porquería encima de la mesa, ya verá usted si doy o no doy parte.

CROCK. —¿Usted no ha olido nunca las flores?

CONSERJE. —No puedo. Me hacen estornudar. *(Gritando.)* ¡Y basta de charla! Ya sabe lo que le he dicho. Como las vuelva a ver ahí encima daré parte de usted... Va contra el reglamento.

CROCK. —¡Qué reglamento ni reglamento! ¿Quién es usted para amenazarme a mí? *(Se pone en pie, enfurecido.)*

CONSERJE. —Soy el Conserje. No «un» conserje. ¡El Conserje! El que cobra más gratificación de todos, el brazo derecho del señor Jefe de Personal. No lo olvide. Soy... ¡el Conserje!

CROCK. —¡El que le cuenta todos los chismes de la oficina!

CONSERJE. —El que hace respetar el reglamento. Y usted siempre está saltándoselo a la torera. Es malo saltarse el reglamento a la torera. Se expone uno a terminar mal, muy mal. ¡Y se acabó! ¡Quite ahora mismo eso de ahí encima!

(CROCK *le mira, acobardado; coge las flores, las saca del florero y las guarda. Luego guarda el florero.* EL CONSERJE *sonríe con aire de triunfo y se marcha.* CROCK *se pone a trabajar con el mismo furor que al principio. Su cara es otra vez taciturna. Al cabo de un buen rato, para en seco. Está pensativo y preocupado. De pronto, como si el* CONSERJE *estuviera allí mismo, dice, dirigiéndose al sitio que ocupaba el otro):*

CROCK. —¿Y quién es usted para decirme que quite las flores de mi mesa? A mí los conserjes me importan un comino. ¿Lo ve? *(Saca las flores y las coloca allí encima.)* Soy un hombre... ¡Y tengo narices! ¡Y hay primavera! ¡Y hay flores! ¡Y puedo olerlas porque huelen a gloria! ¡Tengo un carnet de identidad y una chaqueta y un chaleco! Las narices se han hecho para algo, ¿no? Y la boca también. ¡Y el corazón y la alegría! *(Huele las flores profundamente y se pone a cantar con una voz lamentable «La donna è mobile»).*

(Aparece el Jefe de Personal. Es un tipo de hortera refinado. Traje verdoso, calcetines amarillos y zapatos colorados. Es algo cargado de hombros y lleva un lacio y repugnante bigote, que cae hacia las comisuras de los labios con una languidez desesperante. Su palidez biliosa y su cara de odio reconcentrado por

todo cuanto le rodea en la vida le dan un aspecto francamente nauseabundo. Le llamaremos FRANK, *y podemos suponer que tiene esa edad peligrosa en la que un hombre ha perdido las energías y no ha conseguido subir más que muy poco. Supongamos que tiene, pues, treinta y ocho años. Viene frotándose las manos, gesto que repetirá constantemente, y procura dibujar en su cara una sonrisa que se queda en una horrorosa mueca.)*

FRANK. —Señor Crock... (CROCK *calla.)* ¿Se piensa pasar toda la mañana haciendo... disparates?

CROCK. —No; no, señor.

FRANK. —¡Usted estaba cantando!

CROCK. —Sí, señor...

FRANK. *(Cogiendo las flores y tirándolas a la papelera.)*— Crock..., ¿florecitas a sus años?... ¿Le parece bonito? ¿Y el reglamento?

CROCK. —¡Es primavera!

FRANK- —¿Dónde? Yo no la veo. ¿Lo dice el reglamento?

CROCK. —Ahí fuera. En la calle. Mire los árboles, y los niños, y las mozas...

FRANK. —¿También libidinoso? Mal camino lleva, querido Crock.

CROCK. —No es malo, señor Frank. ¡Se lo aseguro!

FRANK. —¡Todo es malo cuando supone una falta de respeto! *(Ha hecho ya casi mutis, frotándose de nuevo las manos.)* Usted siempre hace lo que está prohibido en la casa. Eso es grave. ¡Muy grave!

CROCK. —¿Por qué está prohibido?

FRANK. —Por orden del señor Director.

CROCK. —Pero ¿por qué?

FRANK. —Por qué... ¿qué?

CROCK. —No, nada, nada... Usted perdone.

FRANK. —¿Cómo va el trabajo?

CROCK. —Muy bien.

FRANK. —Ya lo veremos. *(Se va frotándose las manos.)*

CROCK. —Pero ¿por qué no?... ¡Puaf! *(Hace un gesto de fastidio y vuelve a su trabajo, malhumorado. Trabaja durante un buen rato. Largo silencio.)*

(Entra el AMIGO. *Edad indefinida. Pobremente vestido. Se asoma con timidez por uno de los laterales.)*

AMIGO. —¡Pscht! ¡Pscht!
CROCK. *(Sin mirar.)* —¿Qué hay?
AMIGO. —Soy yo...
CROCK. *(Viéndole)* —Pasa, pasa.

(Sigue trabajando a la misma velocidad.)

AMIGO. —¿Trabajando?
CROCK. —Como siempre.
AMIGO. *(Sentándose en el borde de una silla.)* —Por mí, sigue. ¿Cómo estás?
CROCK. —Triste, muy triste.
AMIGO. —¿Por qué?
CROCK. —No hay primavera.
AMIGO. —¡Si hace un día maravilloso!
CROCK. —Aquí no hay primavera.
AMIGO. *(Incrédulo)* —¿No?
CROCK. —Lo ha prohibido el reglamento.
AMIGO. —¡Qué tontería! ¡El reglamento no manda en el sol!
CROCK. —¿Que no? Que te crees tu eso. Manda en todo. Lo ha dictado el Director.
AMIGO. —En el sol manda sólo Dios.
CROCK. —Pues el Director lo ha prohibido.
AMIGO. —¿Qué ha prohibido?
CROCK. —Todo. Que cante, la primavera... Todo, todo.
AMIGO. —¿Y no te aburres?
CROCK. —Mucho. Pero tengo una familia.
AMIGO. —De eso venía a hablarte. ¿Piensas traértelos definitivamente.
CROCK. —Claro. No van a estar toda la vida en el pueblo.
AMIGO. —Pues verás. Como yo ando siempre paseando, he visto hoy unas casas muy bonitas. Su alcobita, su cocinita, su retretito...
CROCK. —¿Cuánto?
AMIGO. —Trescientas mil.

CROCK. *(Decepcionado.)* —No podré traerme la familia.
AMIGO. —Luego he visto otras peores...
CROCK. —¿Cuánto?
AMIGO. —Cien mil. Pero esas no tienen retrete.
CROCK. —Se quedarán allí para siempre.
AMIGO. —¿En el pueblo?
CROCK. —En el pueblo. ¡Maldita sea! Cada sábado, sesenta kilómetros en bicicleta. Me compré la «bici» porque subieron el precio del coche de línea. Ya la he amortizado, ¿sabes? Lo malo de la «bici» es que me canso mucho. Y me da tos. Y cuando llego el sábado por la noche al pueblo, no tengo fuerzas para abrazar a mi mujer. ¡Es una lata! Toda la semana soñando con llegar allí para abrazarla, y cuando llego cada sábado me acuesto y me duermo como un tronco.
AMIGO. —¡Pero te desquitarás el domingo!
CROCK. —¡Quiá! Si me desquitara el domingo, el lunes no podría venir en la «bici». ¿No te conté lo que me pasó cuando estrené la «bici»? *(El otro niega.)* Llegué el sábado al pueblo. Estaba muy cansado y me dormí. Pero el domingo dije: ¡Me desquito! ¡Y me desquité! Pero el lunes, cuando salí a la carretera, me temblaban las piernas y tuve que esperar al coche de línea, y me vine en él. *(Pensativo.)* No... No es financiero pagar por mí y por la «bici». *(Como pensando en voz alta.)* Pero el pueblo es muy bueno. Y es muy sano. Allí corren los chicos todo el día y tienen color de manzanotas. Y la vida está más barata. El perejil lo regalan. Mi mujer se apaña mejor. Cuando encontremos piso nos abrazaremos mucho, no tendré que hacer sesenta kilómetros a golpe de pedal; pero los chicos sólo podrán correr por el pasillo y no podrán respirar más que el humo de los autos. Hay demasiados autos aquí. Y todos echan humo. ¡Si vieras qué bien se está allí... A ver si te animas y vas un día, hombre. Aquello es estupendo. El cielo es más grande y más azul. Y hay flores y yerbas que huelen a limpio. Mi Paquito ya está hecho un hombre. Ya va a la escuela. A los chicos hay que educarlos desde muy pequeños, para que luego sean hombres de provecho. A mi Paquito le haré médico. Y a mi Antonio también.

Es bueno ser médico. Y muy bonito. El que me ha visto a mí vive que da envidia. Y no es de los mejores, no creas. Es de la Mutua. Pero vive muy bien. Me ha puesto a plan.

AMIGO. —¿Qué tienes?

CROCK. —Por lo visto, no tiene importancia. Lo mío se arregla haciendo dos horas de reposo después de la comida y tomando unas píldoras que venden en Suiza. Unas píldoras maravillosas. También me ha dicho que coma filetes de ternera. Dice que si como mucha carne me pondré bien en seguida. Cuestión de vitaminas. Claro que yo prefiero que se coman la carne los chicos. Ahora están en la edad. Además, a mí no me gusta. Se me hace como un estropajo. No estoy acostumbrado. A eso, como a todo, hay que acostumbrarse de pequeño... Y en mi casa no había carne. No éramos ricos. Lo que a mí me gusta son las judías, pero me dan flato. ¿A ti no?

AMIGO. —También. Lo que me gustan son las gambas.

CROCK. —Calla... ¡Las gambas! Son carísimas. Yo las comí una vez...

(Vuelve a entrar FRANK. *Trae unos papeles debajo del brazo)*

FRANK. *(Dejando los papeles sobre la mesa de* CROCK.*)*—Para resolver. *(Mirando fijamente al* AMIGO.*)* Señor Crock, ¿han dado ya la hora?

CROCK. —No, señor. Faltan veinte minutos.

FRANK. —¿Y el trabajo?

CROCK. —Me queda muy poquito.

FRANK. —El señor Director quiere que se despache todo. ¡Todo!

CROCK. —Descuide. Lo despacharé.

(FRANK *sigue mirando fijamente al* AMIGO. *Este se revuelve nerviosamente en la silla.* CROCK *no se atreve a decir nada.)*

FRANK. *(Después de un prolongado silencio, como si hubiera tomado una decisión, se acerca al* AMIGO.*)* —Señor..., ¿viene a resolver algún asunto de este departamento?

AMIGO. —No; no, señor. Vengo a ver a Crock. Es mi amigo, y de vez en cuando me acerco por aquí a buscarlo y nos vamos charlando por ahí. Cuando tenemos suelto, nos tomamos un vaso de vino.

FRANK. —El señor Crock sabe muy bien que esta clase de visitas está totalmente prohibida.

AMIGO. —Llevo quince años viniendo y nadie me ha...

FRANK. —Antes esta oficina era una tremenda anarquía... Pero yo me he hecho cargo de la Jefatura de Personal para terminar con el desorden. Le ruego que se marche de aquí y espere a su amigo en la portería.

AMIGO. —Pero...

CROCK. *(Muy violento ante la situación.)* —Por favor, espérame en la taberna de siempre. En cuanto den la hora bajaré a buscarte.

(Se dan la mano. EL AMIGO *sale de escena, después de mirar con cara divertidísima a* FRANK*;* FRANK *está violento. No se ha dado perfectamente cuenta de la tontería que ha dicho; pero nota, sin embargo, que hay algo ridículo en su actitud.)*

FRANK. *(Después de una breve pausa.)* —Compréndalo, Crock. No es cosa mía. Si por mí fuera, todos ustedes podrían venir con sus amigos a trabajar... Y con sus familias... Y con los parientes lejanos... Pero el señor Director me ha dado unas órdenes y yo he de cumplirlas por encima de todo.

CROCK. —Si mi amigo no ha hecho nunca nada malo. Se sienta ahí, me cuenta alguna historia mientras termino el trabajo, y cuando llega la hora de salir, nos marchamos. Ni siquiera me ha cogido la grapadora para jugar con ella.

FRANK. —Para esperar a los empleados está la portería.

CROCK. —En la portería hace corriente.

FRANK. —Eso no es cosa mía. Las corrientes pertenecen al negociado de grietas y ventanas. *(Se frota las manos. Pausa.)* ¿Entendido?

CROCK. *(Con fastidio.)* —Sí señor. (FRANK *hace ademán de salir.* CROCK *después de dudar un momento.)* Señor Frank...

FRANK. *(Volviéndose.)* —Sí.

CROCK. —Quisiera... pedirle permiso para faltar esta tarde. Tengo que seguir buscando piso y...

FRANK. —Sabe usted que eso no es posible. El señor Director ha prohibido los permisos de por la tarde... y de por la mañana.

CROCK. —Tengo que seguir buscando piso... no puedo dejar para siempre a la familia en el pueblo. Los viajes en la «bici» no me sientan muy bien...

FRANK. —Creo recordar que usted tiene un día libre para resolver sus asuntos particulares, ¿no es cierto?

CROCK. —Sí, señor; los domingos. A mí me gustaría resolver mis asuntos el domingo; pero después de ver los pisos, tengo que hablar con los propietarios, y los domingos, los propietarios de los pisos se marchan en sus autos a descansar al campo y a coger lagartijas y ramitas de tomillo.

FRANK. —Es una contrariedad, créame. ¡No sabe cuánto lo siento!

(Sale frotándose las manos. CROCK *mira hacia donde se ha ido el otro. Luego va a su mesa y se sienta. Intenta trabajar. No puede. Por fin, coge el teléfono y marca un número.)*

CROCK. —¿Es la taberna? Soy Crock. Que se ponga mi amigo... *(Espera un momento.)* Oye... No sabes cuánto he sentido el incidente; pero no te preocupes... Es bastante tonto y se le ha subido el cargo a la cabeza... Sí, ya sabes, eso de prohibir siempre da mucha sensación de autoridad... *(Escucha atentamente.)* Sí, tienes razón; que prohiban todo lo que quieran. Lo que no pueden prohibir es la risa y los vendedores de globos para los niños... *(Escucha. Ríe ahogadamente largo rato.) (Aparece de nuevo, con mucho sigilo y frotándose las manos,* FRANK, *que escucha atentamente.* CROCK *no le ve.)* No, no es ningún portero. Es el Jefe de Personal...

(Ríe. Escucha, sonriente. Se da cuenta de que está FRANK *allí.)* Ha vuelto... Está aquí... Vendrá a echarme otra bronca... *(Muy bajo. Al teléfono.)* Espérame; luego bajo. *(Cuelga.)*

FRANK. *(Frotándose las manos.)* —Señor Crock... Usted comprenderá que todo lo que hace no está bien. Se ha reído hace un momento. Lo he visto con mis propios ojos.

CROCK. —Sí, señor. Lo reconozco. A veces me río.

FRANK. —Y estaba usted hablando por teléfono.

CROCK. —Sí, señor.

FRANK. —Y usted comprenderá que si el señor Director prohibe hablar por teléfono, no se debe hablar por teléfono.

CROCK. —Era mi amigo. Tenía que darme un recado.

FRANK. —¡No hay recados! ¡No hay amigos! ¡No hay nada contra las órdenes del señor Director!

CROCK. —¡Hombre, señor Frank!... Yo creo que...

FRANK. *(Cortándole.)* —Usted no puede creer nada. El señor Director lo ha prohibido. Y procure no retrasarse por las mañanas. Hoy se ha retrasado cinco minutos.

CROCK. —Volví a tener fiebre... Pensé que cinco minutos...

FRANK. —Usted no tiene que pensar. ¡El señor Director lo ha prohibido!

CROCK. —En fin, usted perdone...

FRANK. *(Hipócrita.)* —¡Oh, yo, no, querido Crock. Esto no es cosa mía. Es cosa del...

CROCK. *(Cortándole, con fastidio.)* —...del Director...

FRANK. —Del señor Director, exactamente. *(Sale frotándose las manos).*

(CROCK *queda pensativo. Lentamente, como un autómata, vuelve a su trabajo. Hay un largo silencio.* CROCK *tose un par de veces. Por un altavoz se oye una voz hueca y campanuda que dice, sobre una música de fondo:)*

VOZ. —Los que hayan sido eficientes el mes pasado pueden pasar por el despacho del Administrador Mayor para percibir el importe de su gratificación. Los que hayan sido eficientes el mes pasado pueden pasar por el despacho del Administrador Mayor para percibir el importe de su gratificación.

(CROCK *se pone en pie. Se arregla la corbata y se encamina hacia el foro. En este momento se ve en el foro una lujosa mesa de despacho. Tras ella está sentado el señor* LIVI. *Es bajo y pálido. Casi amarillento. Sobre la mesa hay un cajoncito dentro del que hay ordenados unos sobres que contienen la gratificación de cada uno de los «eficientes».* CROCK *se acerca tímido, pero optimista, a la mesa.)*

CROCK. —¡Buenos días, Livi!
LIVI. —Buenos días, hombre, buenos días. *(Largo y embarazoso silencio.)* ¿Qué traes por aquí?
CROCK. *(Sin tanto optimismo.)* —Han avisado que se podía venir a cobrar.
LIVI. —Sí; pero hoy no damos anticipos. Sólo pagamos a los eficientes.
CROCK. —Yo este mes no quiero ningún anticipo. Me arreglaré con la gratificación.
LIVI. —¿Qué gratificación?
CROCK. —La que pagáis hoy.
LIVI. —¿Hoy?... ¡Ah, sí! Pero tú no ibas en esa lista.
CROCK. *(Palideciendo.)* —¿Eh?
LIVI. —Que no estás incluido en nómina.
CROCK. —¿Por qué?
LIVI. *(Beatífico.)* —No lo sé, hijo.
CROCK. —*(Cargado de razón.)* Yo he trabajado mucho este mes. Sólo he faltado un día. Aquel que me subió la fiebre a treinta y ocho.
LIVI. —No sé. Sólo sé que no estás en la nómina.
CROCK. —Es una broma, ¿verdad? Sí, es una broma.
LIVI. —No es ninguna broma, Crock.

(Largo silencio.)

CROCK. *(Tragando saliva.)* —¿Está Pum en la lista?

LIVI. *(Vivamente.)* —No sé.
CROCK. —Tú has hecho las nóminas. Tienes que saberlo. *(Cogiendo las nóminas, que están sobre la mesa.)* Mira, aquí mismo están.
LIVI. —Vamos, Crock, deja eso donde estaba.

(Se las quita rápidamente y las guarda en un cajón.)

CROCK. —Quiero saber si Pum va a cobrar.
LIVI. —Eso a ti no tiene por qué interesarte.
CROCK. —Pues mira por dónde me interesa.
LIVI. —¿Para qué?
CROCK. —Para saber cómo tratas a tus amigos. Pum no ha venido en todo el mes. Se lo contaré a todo el mundo.
LIVI. —No te gustaría perder el empleo, ¿verdad? Te callarás.
CROCK. —No me callaré.
LIVI. —No hagas tonterías. Nadie te hará caso. Todos saben que eres un rebelde. Si sigues armando jaleo por una gratificación más o menos, te vas a exponer a una tontería.
CROCK. —Es que esa gratificación la necesito.
LIVI. —No me vas a decir que trescientas pesetas te resuelven la vida.
CROCK. —¡Me la resuelven! ¡Ya lo creo que me la resuelven! Me arreglo con poco. *(Estallando.)* Pero si también ese poco me lo quitan, iré donde sea preciso. Al mismísimo Director, ¿te enteras?
LIVI. —*(Cortándole.)* El señor Director no va a hacerte caso. Nos conoce a nosotros, y de ti sólo sabe que eres un rebelde. Y le molestan los tipos rebeldes.
CROCK. —¡Virgen Santísima! ¡Un rebelde! ¿Yo soy un rebelde?
LIVI. —Sí, tú.
CROCK. —¿Por qué? ¿Porque no quiero ir con vosotros ni hablar de fútbol ni de mujeres? ¿Porque me estoy muriendo de hambre, mientras vosotros vivís como príncipes?
LIVI. —Por eso mismo. ¡Eso, eso es rebeldía!

(En este momento entra FRANK, *que permanece al margen del diálogo en actitud expectante.)*

CROCK. —¿Pasar hambre y protestar es rebeldía?
LIVI. —Sí.
CROCK. —Entonces ¿tengo que callarme?
LIVI. —Sí.
CROCK. —Pues no me callaré, no me callaré, no me callaré...

(Está enloquecido. Tose.)

LIVI. *(Con suficiencia.)* —Está bien. Habla. Nadie te hará caso.
CROCK. *(Acomodado.)* —Nadie. *(Un silencio.)* Oye... No me digas cuánto va a cobrar Pum. Dime sólo si está incluido en la relación.
FRANK. —Perdón, Livi. Traía estas relaciones de pagos... *(Le deja los papeles sobre la mesa.)* Y te recuerdo que los nombres de las nóminas son secretos. *(A* CROCK.*)* Se ha excluido de ellas, como usted sabe muy bien, a todos los que han llevado un comportamiento irregular y han fumado cigarrillos durante las horas de oficina, o han comido bocadillos, o han respirado hondo. Las órdenes del señor Director deben respetarse y cumplirse por encima de todo. En cuanto a usted, señor Crock, haría mejor no perdiendo el tiempo en trivialidades. Debe trabajar más. Y moverse menos. Su hoja de servicios es lamentable. *(Se frota las manos. Se aleja unos pasos y adopta una postura expectante.)*
LIVI. —Ya lo has oído. No puedo decirte nada.
CROCK. —Está incluido; lo sé.
LIVI. —Bien, sí, está incluido.
CROCK. —¿Y yo? ¿Por qué yo no estoy?
LIVI. —Pregunta al Jefe de Personal.

(CROCK *da dos pasos hacia el Jefe de Personal.)*

CROCK. —¿Por qué...?
FRANK. —Pregunte usted al Jefe de los Servicios Administrativos.

(CROCK *da dos pasos ahora hacia* LIVI.*)*

CROCK. —¿Por qué?...
LIVI. —Yo recibo las órdenes de Personal.
CROCK. (A FRANK. *Repitiendo el juego.)* —Dice que él cumple sus órdenes.
FRANK. —El hace las relaciones, él mete el dinero en los sobres. Pregúntele a él.
CROCK. —Tú haces las relaciones. Me lo ha dicho él. ¿Por qué...?
LIVI. —Cumplo sus órdenes.
CROCK. *(Repitiendo el juego.)* —¿Por qué...?
FRANK. —Vea al Jefe de Servicios Administrativos.
CROCK. —(A LIVI) ¿Por qué...?
LIVI. —¡Habla con el Jefe de Personal!
CROCK. (A FRANK.) —¿Por qué...?
FRANK. —¡Servicios Administrativos!
CROCK. (A LIVI.) —¿Por qué...?
LIVI. —¡Jefe de Personal!

(CROCK *mira a uno y otro, alternativamente, según hablan.)*

FRANK. —¡Servicios Administrativos!
LIVI. —¡Jefe de Personal
FRANK. —¡Servicios Administrativos!
LIVI. —¡Jefe de Personal!
FRANK. —¡Servicios Administrativos!
LIVI. —¡Jefe de Personal!
CROCK. —¡Bastaaa! No quiero saber nada. Conozco el truco. Pregunta a uno, pregunta a otro, pregunta hasta que revientes de preguntar, sin que nadie te responda.
FRANK. —Si no preguntara usted...

(Entran los tres empleados. Son tres tipos que parecen hermanos siameses. Visten trajes grises, camisas a rayas, pantalones remangados y zapatos marrones. Los tres llevan «Marca» en el bolsillo.)

LOS TRES. —¿Dan ustedes su permiso?

LIVI. —Pasen. Pase, señor Pim; pase, señor Pam; pase, señor Pum.
LOS TRES. —Tengan ustedes muy buenos días.
LIVI. —Gracias.
FRANK. —Igualmente.
LOS TRES. —Venimos a cobrar, si no les sirve de molestia.
LIVI. —¿Cómo? Ninguna molestia. *(Saca un sobre.)* ¡Pim! *(Se acerca uno de ellos, retira el sobre, le hace una reverencia y se coloca junto a los otros.)* ¡Pam! *(El segundo repite la operación.)* ¡Pum! *(El tercero repite la operación.)*
LOS TRES. —Muchas gracias.
FRANK. —Qué, ¿ahora se irán a celebrarlo?
LOS TRES. —Nos iremos a celebrarlo en cuanto den la hora. Antes tenemos que acabar el trabajo para tener contento a nuestro querido señor Director.
LIVI. (A CROCK) —¿Tú irás con ellos?
CROCK. —No.
LOS TRES. —Nosotros no vamos nunca con Crock. Crock es la oveja negra de la oficina y fuma en el retrete cuando nadie le ve, y cuando se queda solo en su despacho, piensa, sin que se lo ordene nuestro querido señor Director.
FRANK. —Pena debía darle oír a sus compañeros hablar así de usted, Crock. Pena debía darle, un hombre joven, abandonado por todos. Corríjase, señor Crock. Corríjase, y yo le prometo interceder por usted para que le traten como a todos. ¿Verdad que ustedes me prometen ir con Crock? ¿Y tratarle como a uno de ustedes?
LOS TRES. —Si viene al fútbol, sí. Si habla de fútbol, sí. Si no fuma en el retrete, sí. Si no piensa, sí. Si no lee libros, sí.
FRANK. —¿Ve usted qué buenos son? Olvidan todo y le brindan su amistad.
CROCK. —¡A la porra su amistad!. Me gusta leer libros y hablar con mi amigo del tiempo que hace, y... y... y hacer versos...; sí, ¡versos!, a los árboles verdes y a los arroyos frescos, que están tan lejos de vosotros. ¡A la porra el fútbol y vosotros! Me tenéis envidia, porque todos quisiérais ser como yo, y fumaros un

pitillo y pensar y tener un amigo. Pero ¿por qué me tenéis envidia? Vosotros habéis elegido todo esto, y yo, no. Vosotros tenéis una casa con alcobas y cocina y retrete. Yo no tengo casa. Vivo en casa de mi suegra, en el pueblo, y en mi casa no hay retrete. Pero mis hijos cagan tan ricamente en el campo. ¿Por qué me tenéis envidia?

LOS TRES. —No te tenemos envidia, porque estás loco.

FRANK. —Muy bien contestado. Hablaré con el señor Director para que les suba un duro el sueldo.

(CROCK *rompe a reír estrepitosamente.)*

CROCK. —¡Loco! Loco porque digo lo que vosotros no os atrevéis a decir. *(Vuelve a reír.)* ¡Majaderos! Me dais asco... Asco y pena... ¿Por qué tenéis que hacer reverencias a este señor, que en vez de dentífrico dice dentrífico? ¡Y lo escribe! *(Lo ha dicho por* FRANK.) Tenéis miedo a que os echen.

LOS TRES. —Amamos a nuestro querido señor Jefe de Personal y le reverenciamos cual se merece.

CROCK. —¡Mentira! Os he oído cuchichear de él muchas veces.

LOS TRES. —¡Eso es falsísimo!

CROCK. —Los falsos sois vosotros. No queréis daros cuenta. *(A gritos.)* ¡Tenéis derechos! ¡Sois Hombres!

LOS TRES. —Con su permiso, señor Jefe de Personal, nos ausentamos de aquí para ir a trabajar a nuestros negociados y tener todo en orden, y luego podernos ir a casa a disfrutar de la vida con nuestras esposas y nuestros hijos y nuestras suegras paralíticas.

FRANK. —Bien, hijos míos, bien. Auséntense y así se evitarán tener que oír estos discursos revolucionarios.

LOS TRES. —¡Buenos días, señor Livi! ¡Buenos días, señor Frank!

(Hacen una reverencia y salen como y por donde entraron.)

CROCK. —*(Gritándoles, cuando ya se han ido.)* ¡Sí, «marcharos», no escuchéis! ¡«iros» a vuestras casitas a comer judías! ¡Os pondréis cada día más colorados y os haréis viejos, muy viejos, y luego os moriréis! ¡Os moriréis igual, me oís! *(Rompe a toser.)*

LIVI. —Tranquilízate y vete. Y procura recapacitar, hombre. Yo soy un buen amigo tuyo y te doy siempre buenos consejos.

CROCK. —¿Tú amigo mío?... *(Rompe a reír estrepitosamente.)* ¿Por qué no me dices si algún día voy a cobrar lo mismo que todos?

FRANK. —Eso es secreto. ¡Y basta de tonterías! ¡Lo primero que tienes que hacer es cumplir!...

CROCK. —Yo cumplo.

FRANK. —¡Y trabajar!

CROCK. —Yo trabajo.

FRANK. —¡Y respetar!

CROCK. —Yo respeto.

FRANK. —Y hacernos reverencias.

CROCK. *(Rompe a reír.)* —Yo fumo, yo pienso, yo leo libros. ¡Yo no reverencio a nadie!

LIVI. —Tú eres un peligro. ¡Modifícate!

CROCK. —No quiero.

LIVI. —El Director lo sabe. *(Suena el timbre del dictáfono.)* ¡Diga!

SEÑORITA. *(Al dictáfono.)* —El señor Director va a salir de su despacho.

(FRANK, como si hubiera oído que se estaba hundiendo la casa, sale corriendo a paso gimnástico.)

LIVI. —Gracias, señorita. *(Guarda en el cajoncito los sobres del dinero y las nóminas y luego mete todo en un cajón de su mesa y cierra con llave.* CROCK *le mira atónito. Acciona de nuevo el dictáfono.)* Conserjería... Conserjería...

CONSERJE. *(Al dictáfono.)* —Aquí Conserjería.

LIVI. —Pónganse las chaquetas y colóquense en línea. Va a salir el señor Director.

CONSERJE. —A sus órdenes, señor Livi.

LIVI. *(Accionando otro mando del dictáfono.)* —¡Sonido!... ¿Me oye?... ¡Sonido!...

HOMBRE. —Departamento de sonido al habla.
LIVI. —Va a salir el señor Director. ¿Preparados?
HOMBRE. *(Al dictáfono—*¡Preparados!
LIVI. —¡Sonido!

(Inmediatamente empieza a oírse una brillante marcha norteamericana interpretada por una numerosa banda. LIVI *empieza a recoger algunos papeles que hay sobre su mesa y los mete apresuradamente en la cartera.)*

CROCK. —¿Quieres decirme de una vez con quién tengo que hablar para que me paguen?
LIVI. —El Jefe de Personal. ¡Déjame ahora!
CROCK. *(Frenético.)* —El Jefe de Personal no me hace caso.
LIVI. —Eso ya no es cosa mía.
CROCK. —¡Me estoy hartando!
LIVI. —¿Por qué no te marchas y dejas la oficina?
CROCK. *(Cogiéndole por las solapas.)* —¿Qué quieres? ¿Que me vaya? ¡Quiá! Necesito comer. ¡Estaré aquí, aquí, aquí!
LIVI. —No te violentes. Soy tu amigo. Procuraré ayudarte.
CROCK. —¡Tú no ayudarías ni a tu padre!
LIVI. *(Con miedo.)* —¡Suéltame! Va a salir el señor Director... *(Se suelta suavemente.)*
CROCK. —¡Necesito dinero, necesito comer! ¡Y mi mujer y mis hijos!
LIVI. *(Apartándole suavemente.)* —Por favor... *(Se va hacia el centro del escenario con la carpeta debajo del brazo. El escenario se ha iluminado con una luz blanca y desagradable.)*

(Por el primer término, izquierda, aparece, andando de espalda, ligeramente inclinado hacia adelante, con una beatífica sonrisa en los labios, FRANK. *Se ha cambiado de chaqueta y ahora lleva una gris, remendada por los codos. Parece transfigurado. Detrás de él aparece un tipejo delgadito, muy elegantemente vestido, que lleva un bigotito muy cuidado y cuyos ademanes son los de un perfecto histérico.*

Debajo del brazo lleva una cartera. Sonríe y se pone serio a cada instante. LIVI, *situado en el centro del escenario, está en correcta posición de firmes.* CROCK, *en último plano, contempla la escena entre divertido y asqueado. La música ha subido de tono, hasta hacerse molesta y apagar por completo las palabras de la conversación que, sin duda, mantienen los tres personajes de primer término. Al llegar el menguado cortejo al centro de la escena,* LIVI *avanza un paso y dice algo al Director. La música impide oír lo que hablan. El Director responde algo y los otros dos ríen sin ganas, pero estrepitosamente. El Director vuelve a decir algo y los otros dos asienten. Luego, el Director emprende la marcha hacia el lateral derecho. Al llegar allí se detiene, dice algo en tono autoritario: una ordenanza nueva, sin duda. Los otros asienten, después hacen una profunda reverencia y el Director sale. La música cesa.* LIVI *y* FRANK *vuelven a ser mamíferos totalmente verticales;* CROCK *está inmóvil. Parece que le han clavado al suelo. Está como ido.)*

LIVI. —Me parece muy bien que se lo hayas dicho.
FRANZ. *(Cargado de razón.)* —Hay que terminar con estas cosas.
LIVI. —Ese hombre puede ser un peligro. Imagínate que un día consigue meter a todos en la cabeza sus ideas.
FRANK. —No, no lo pensemos. Hay que encontrar el medio para que eso no suceda.
LIVI. —¿Un expediente?
FRANK. —Un expediente a tiempo, sí, señor.
LIVI. —¡Lo que nos vamos a divertir!
FRANK. —Los expedientes tienen eso. Son muy divertidos.
LIVI. *(Mirándole.)* —Crock es un caso clínico. Desde que le vi por primera vez me dije: «Acabará mal, muy mal. Un hombre capaz de no comer y llevar una flor en el ojal es capaz de cualquier cosa.»
FRANK. —Tú lo has dicho. De cualquier cosa.

(Aparece el CONSERJE *con la americana del traje de* FRANK *y un detonante abrigo verde.* FRANK *se quita la chaqueta y se pone la otra. Luego se pone el abrigo.* EL CONSERJE *le besa la mano y se retira andando de espaldas.)*

LIVI. —¿Nos vamos a comer?
FRANK. —Cuando quieras. (LIVI *se dirige hacia el foro.* FRANK *queda parado en el lateral derecho.* CROCK *empieza a andar hacia su mesa muy despacio. Se oye una musiquilla triste. Al llegar a su mesa recoge una gabardina muy raída.* LIVI *se está poniendo su abrigo.)* Qué, Crock, ¿a comer?
CROCK. *(Escéptico.)* —Sí.
FRANK. —Pues..., nada, que aproveche. Y ya sabe, puntualidad...
CROCK. —Me parece que me ha subido la fiebre.
FRANK. —Eso es cosa suya. Pero ya sabe que está prohibido tener fiebre.

(Salen los tres funcionarios marcando el paso, y al pasar ante FRANK *hacen una reverencia.)*

LOS TRES. *(Cantando.)*—

¡Viva la vida,
alegre y divertida!
¡Viva la vida,
alegre y divertida!...

(Desaparecen por el lado opuesto. LIVI *está metiendo unas cosas en su cartera.)*

CROCK. —Si pudiera no venir esta tarde...
FRANK. —Poder, puede. Pero ya sabe a lo que se expone. Está prohibido faltar por enfermedad, por vejez y por muerte de parientes o propia. Procure mejorar. Adiós.

(Llega LIVI *al lado de* FRANK *y los dos salen juntos. Van cuchicheando.* CROCK *se deja caer en la silla que hay en su mesa. La música sube de tono. Se estremece. Sin duda, tiene fiebre.)*

CROCK. —Faltar... No faltar... Faltar... No faltar... *(Gesto de cansancio. Se quita la gabardina.)* Comeré aquí mismo. No faltaré nunca, ¡nunca!

(Saca del bolsillo de la gabardina una pequeña barra de pan. Luego, del bolsillo de la americana, una navaja. Abre la barra de pan por la mitad para hacerse un bocadillo. Deja colocado el pan, coge una cuartilla blanca, la mira por los dos lados, la dobla en varias dobleces, la coloca en medio del pan y empieza a comer. Hace un gesto de asco al tragar. Va a dar el segundo bocado, hace un ademán de impotencia y tira el bocadillo a la papelera.)

(Aparece el AMIGO.*)*

AMIGO. —Ya se han ido todos.
CROCK. —Sí; ya lo sé.
AMIGO. —Llevo una hora esperándote en la taberna.
CROCK. —Tengo que estar siempre en la oficina.
AMIGO. —Anímate; tengo buenas noticias.
CROCK. —No hay buenas noticias.
AMIGO. —Sí. Me he acordado de que conozco a un hombre muy rico que tiene casas aquí. El nos proporcionará una. Era de mi pueblo. ¿Cuándo te parece que vayamos a verle?
CROCK. *(Sin entusiasmo.)* —Esta misma tarde.
AMIGO. —¿Tienes permiso?
CROCK. —No hay permisos.
AMIGO. —¿Entonces?
CROCK. —Esta tarde iremos.
AMIGO. —Como quieras. ¿Vamos a tomar un vaso de vino?
CROCK. —No hay dinero.
AMIGO. —Yo sí tengo. Un hombre me ha dado dinero esta mañana.
CROCK. —¿Por qué?
AMIGO. —Me ha sonreído. Nada más. ¿Vamos?
CROCK. —Preferiría que me prestases un duro para comprar unas cosas... El sábado tengo que ir al pueblo... Se me han acabado los parches de la «bici». A veces se

pincha, y si no llevo parches... Además..., quiero comprar un caramelo a los chicos. Les gusta mucho que les lleve un caramelo.

AMIGO. —Toma *(Le da el dinero.)*

CROCK. —Gracias. *(Se levanta perezosamente.)* Si se me arreglara lo del piso... *(Se pone la gabardina.)* Iremos esta tarde. A las cuatro.

AMIGO. —A las cuatro.

CROCK. —Con la familia cerca se siente uno más fuerte. Dan mucho calor, y mucha fuerza, y muchas ganas de vivir. Parece como si ellos te empujaran con todas sus fuerzas para seguir el camino.

AMIGO. —¿Qué camino?

CROCK. —No sé; todo lo que le pasa a uno: las injusticias, los pinchazos de la «bici», el cansancio... *(Salen.)*

OSCURO

CUADRO SEGUNDO

Al iluminarse la escena, en el lugar donde estaba la mesa de CROCK, *hay ahora una mesa de despacho de adinerado hombre de negocios.*

(Sentado a la mesa hay un hombre cuarentón de aspecto agradable, gordo y pletórico. Se dedica afanosamente a limarse las uñas. A este caballero, que se llama don Ulrico, le llamaremos NEGOCIANTE. *Un silencio. Suena la chicharra.)*

NEGOCIANTE. *(Conectando.)* —¿Qué hay?

SEÑORITA. *(Al dictáfono.)* —Dos hombres desean verle.

NEGOCIANTE. —¿Hombres?... *(Extrañado.)*

SEÑORITA. —Sí, señor.

NEGOCIANTE. —A mí sólo vienen a verme señores.

SEÑORITA. —Pues éstos sólo son hombres.

NEGOCIANTE. —¿Qué quieren?

SEÑORITA. —Dicen que los ha citado. Son de su pueblo.
NEGOCIANTE. —¡Que pasen!

(Entran CROCK *y su amigo.)*

AMIGO. —Buenas tardes, don Ulrico. ¿Cómo está usted?
NEGOCIANTE. —Estupendamente. *(No se ha levantado. Les tiende la mano.)*
AMIGO. —Es mi amigo Crock.
CROCK. —Mucho gusto.
NEGOCIANTE. —*(Yendo al grano.)* ¿Vienen por lo del piso?
AMIGO. —Sí.
NEGOCIANTE. —¿Cuánto pueden invertir?
CROCK. —¿Invertir?
NEGOCIANTE. —¡Sí, invertir, invertir!
CROCK. —Invertir..., ¡nada!
NEGOCIANTE. —Entonces ¿a qué han venido?
CROCK. —A ver si usted nos proporcionaba un piso.
NEGOCIANTE. *(Con beatífica sonrisa.)* —Amigo mío..., es una ingenuidad por su parte pretender comprar sin dinero. ¿Cómo se compra usted los trajes?
CROCK. —No me los compro. Mi cuñado me regala los suyos viejos. Pero me sientan muy bien. *(Se pone en pie.)* Mire esta americana; parece hecha a medida. Y es que mi cuñado es más alto; pero mi mujer me mete las sisas y acorta las mangas y...
NEGOCIANTE. —Vayamos al grano. Un piso no se puede vender por menos de trescientas mil. Si no, no es negocio. De manera que si no se tiene dinero, no se puede comprar... A no ser que su cuñado...
CROCK. —No; no, señor. Mi cuñado, no.
NEGOCIANTE. —Pues yo tampoco. Lamento no poder servirle, y más siendo amigo de aquí... *(Se pone en pie.)* Mucho gusto. *(Les da la mano.)* Espero poder servirles en otra ocasión.
CROCK. *(Después de una larga pausa, mientras el* NEGOCIANTE *los empuja sin ninguna consideración hacia la puerta.)* —¡Habrá alguna solución! Yo no puedo seguir yendo todas las semanas al pueblo. La «bici» acaba conmigo...

NEGOCIANTE. —Los pueblos son muy sanos. *(Los empuja otro poco.)*

CROCK. —A los chicos les sienta muy bien el aire, pero dicen muchas palabrotas, y yo quiero que sean unos chicos educados. Y no puedo estar encima de ellos toda la vida. Vivo en una pensión barata, aquí. En mi alcoba duerme un hombre que descarga fruta en el mercado. Ronca y tiene flato... La habitación huele... a sardinas, a repollo, ¡a diablos! Me gustaría vivir como todo el mundo. No pido un palacio, ¿sabe?

AMIGO. —Haga usted algo, don Ulrico. Es de conciencia. Yo sé que usted es muy bueno. Recuerdo, cuando era pequeño, que todos los domingos, a la salida de misa, usted y su santa madre nos echaban perras gordas a todos los pobres del pueblo.

NEGOCIANTE. —Sí, mi madre era una santa.

AMIGO. —Para mí no le pido nada. Nunca he pedido a nadie. No necesito nada. Haga algo por él, don Ulrico.

NEGOCIANTE. *(Conmovido.)* —¡Qué más quisiera yo! *(Pensativo.)* A mí estas cosas me parten el alma. Ya sé que en el mundo hay mucha miseria, y me gustaría remediarla; pero ¿cómo? Yo no puedo hacer más. Doy todos los meses una limosna al Asilo, pago un recibo de caridad para los pobres del distrito, y cuando reparto beneficios anuales entrego una respetable cantidad a una fundación de Beneficencia. Mi mujer es Dama de la Cruz Roja y socia de tres o cuatro sociedades de asistencia de inválidos, niños tontos y señoras de mala fama. ¿Qué más puedo hacer? No creo que se pueda hacer más. Bueno, sí; podría coger mis fincas, mis negocios y mi dinero y dárselo a este señor *(Por* CROCK.*)* Pero si lo hiciera, este señor viviría estupendamente y yo no podría vivir. *(Los otros dos asienten de mala gana, medio convencidos.)* A mí, al principio, también me costó mucho levantar cabeza. Hubo días que hasta pasé hambre. Luego se me fueron arreglando las cosas, y ya ve... Pero todo lo he hecho con mi esfuerzo, con mi trabajo, con mi ahorro.

CROCK. *(Con un brillo de luz en la mirada.)* —¿Y cómo lo consiguió usted?

NEGOCIANTE. —¡Oh! Es muy largo de contar. Sólo le diré que antes de la guerra yo era un pobre chupatintas. En mi casa no había más que un colchón en el suelo y un panecillo de quince. Y yo estaba medio tísico. *(Carraspea y hace un gesto de asco.)* Pero la vida da muchas vueltas... Esa enfermedad me libró de ir a primera línea. Gracias a eso pude abrirme camino poco a poco. Y ya ve. Todo se arregló.

CROCK. *(Con entusiasmo.)* —¡Yo también estoy enfermo! ¿Usted cree que habrá guerra?

NEGOCIANTE. —¿Una guerra ahora? ¡Calle, hombre, por Dios! ¡Eso sería mi ruina!

CROCK. —Pero tal vez a mí...

NEGOCIANTE. *(Fastidiado.)* —Ya le digo. No hay posibilidad de proporcionarle piso. Lo siento. ¡Adiós!

AMIGO. —¡Haga algo, don Ulrico!

CROCK. —¡Haga algo!

NEGOCIANTE. *(Sacando una moneda del chaleco.)* —Tome, una peseta. ¡Adiós!

CROCK. —No es una peseta. Es algo más. Necesito que me salga alguna cosa bien en mi vida. ¡Bah! Todo eso son sueños. Nada más que sueños. La Mutua me da un crédito para comprar un piso, pero no llega. Y aunque llegara, luego, con pagar todas las mensualidades de amortización, se iría el sueldo entero y todavía me faltarían treinta y nueve pesetas. No puedo, se lo aseguro. En la oficina no me dejan oler flores ni cantar. Y canto bien, se lo juro. No desafino. Pero el jefe no quiere... El no puede entenderlo. Yo, cuando canto, por lo menos... Por lo menos..., ¿qué estaba diciendo? Todo lo quieren para ellos y para sus amigos. Yo debía ser más alegre y más simpático. Es muy importante ser simpático; pero, ¿cómo se puede ser simpático? ¿Cómo?

(Cae en uno de los sillones como desfallecido. Empieza a toser.)

NEGOCIANTE. —Debilidad... ¡Eso es horrible!... *(Recordando algo.)* Por cierto que... *(Acciona el dictáfono.)*

SECRETARIA. *(Al dictáfono.)* —Dígame, don Ulrico.

NEGOCIANTE. —¿Es la hora de las vitaminas?
SECRETARIA. —Sí, señor.
NEGOCIANTE. —Tráigamelas. *(Al* AMIGO.*)* No se pueden perder las energías. Hay que recuperarlas como sea. *(Entra la* SECRETARIA *llevando un vaso con zumo de naranja, unas pastillas y una cajita de bombones.* NEGOCIANTE *mientras se toma las pastillas, haciendo gestos como un niño.)* Saben a rayos. *(Bebe el zumo de naranja. Chasquea la lengua.)* Perfecto, señorita. Muy fresquito. Y ahora, el bomboncito, que deja la boca dulce. Gracias, señorita. (*Sale la* SECRETARIA: *Acercándose a* CROCK *y tratándole compasivamente.*) Vamos, hay que animarse. *(*CROCK *le mira atónito. Como si no creyese lo que ha oído.)* A veces todo sale mal; pero no hay que desesperar.
CROCK. —¿No?
AMIGO. —¡Ya lo oyes!
NEGOCIANTE. —¡Claro que no, hombre! *(*CROCK *tose.)* Y para que vea que no soy mala persona, le voy a dar una buena noticia: vuelva por aquí dentro de un par de días. Habrá algo para usted.
CROCK. —¿Un piso?
NEGOCIANTE. —No. Un trabajillo para por las tardes. Y si le interesa, también podrá tener otro trabajillo para por las noches.
CROCK. —Gracias, muchas gracias.
AMIGO. —Gracias, don Ulrico. Es usted muy bueno. Tan bueno como su santa madre.
NEGOCIANTE. —¡Por Dios! ¡Por Dios! No merece la pena.
CROCK. —Gracias, gracias. *(Se dan la mano.)*
NEGOCIANTE. —Adiós. *(Salen* CROCK *y el amigo. El otro respira con alivio. Saca un pañuelo, y mientras los ve salir, se seca la mano con que ha estrechado las de los visitantes. Luego va despacito a su sillón y vuelve a sentarse. Da una vuelta al sillón Está muy alegre. Se ha empezado a oir una musiquilla agradable. Acciona el pulsador de un timbre. Vuelve a limarse las uñas con aire pensativo. Entra la* SECRETARIA *con un block de notas y un lapicero.)* ¿Está todavía libre la vacante que dejó aquel idiota?
SECRETARIA. —Sí, señor.

NEGOCIANTE. —Bien; tome nota. Una carta al Jefe de Personal de la Dirección de Asuntos Importantes pidiendo informes sobre un tal Crock, que trabaja allí. Cuando la tenga hecha me la pasa para la firma. *(Se levanta y se acerca a ella.)* Es urgente. Un caso de conciencia. *(Sacando un bombón del bolsillo.)* ¿Un bomboncito, señorita?

SECRETARIA. *(Tomándolo.)* —¡Qué amable es usted! *(Ella le barbillea.)*

NEGOCIANTE. —Sí; soy muy amable, muy amable. *(Le da un azotito. Ella sonríe y sale.)*

(Saca un magnífico habano de una lujosa cigarrera, lo muerde, lo enciende, da una vuelta al sillón giratorio, en el que acaba de sentarse, y fuma con aire satisfecho. Cesa la música.)

OSCURO

CUADRO TERCERO

Dos camastros, una silla, un lavabo y una percha de árbol nos sitúan ahora en la miserable pensión de Crock.

(Entran en escena CROCK *y el* AMIGO.*)*

AMIGO. —Ahora te acuestas, descansas y mañana te encontrarás mejor.

CROCK. —No quiero acostarme, no quiero quedarme solo. Me dan miedo las paredes, la cama, todo.

AMIGO. —Me quedaré contigo. ¿Quieres que juguemos a las cartas?

CROCK. —Bueno. De garbanzos. ¿Quieres llamar a la patrona para que traiga una baraja?

AMIGO. *(Acercándose a un lateral.)* —¡Señora Slamb!

CROCK. —Más fuerte. Es muy sorda.

AMIGO. *(A gritos.)* —¡Señora Slamb!

CROCK. —¡Qué pulmones! Si yo pudiera chillar como tú.

(Aparece la SEÑORA SLAMB *vestida con harapos. Desgreñada, sucia y relativamente bondadosa.)*

SEÑORA SLAMB. —¿Llamaba usted?
CROCK. *(Al amigo.)* —Pregúntale que si tiene una baraja.
AMIGO. *(Chillando.)* —¿Tiene usted una baraja?
SEÑORA SLAMB. —Sí. Hará como media hora vino un señor preguntando por él. Creo que era el médico de la oficina; pero no me haga mucho caso, porque con mi oído... ¿Hay médicos inspectores? Creo que dijo algo así. Médico Inspector de la oficina.
CROCK. *(Dando un respingo.)* —¡El médico! En cuanto falto lo mandan. Y saben que estoy enfermo.
AMIGO. —No te preocupes. Descansa...
CROCK. —¡Descansar! *(Chillando mucho, como si hubiera conseguido sacar fuerzas de su miserable cuerpo.)* ¡Y qué le ha dicho usted!
SEÑORA SLAMB. —Que había ido a buscar piso.

(Un silencio. Los dos amigos se miran.)

AMIGO. —Será un simple trámite. Comprenderán tu situación y no te dirán nada.
CROCK. —Ellos no comprenden nada. Van a lo suyo.
AMIGO. —Son hombres... Tendrán un corazón.
CROCK. —¡Tienen una estilográfica! No piensan; firman. No respiran; instruyen expedientes. No mean; echan tinta.
SEÑORA SLAMB. —Bueno, que tengo la cocina empantanada. ¿Quiere algo más?
AMIGO. *(A gritos.)* —¡Una barajaaa!
CROCK. —No, déjalo; no tengo ganas de jugar.
AMIGO. *(Igual.)* —¡No la traigaaa! *(La* SEÑORA SLAMB *se encoge de hombros y sale.* CROCK *rompe a toser.* EL AMIGO *se acerca.)* Debes echarte. Estarás mejor.

*(*CROCK *se tumba en la cama. Un silencio.)*

CROCK. *(Respirando trabajosamente.)* —Siéntate ahí. *(Señala los pies de la cama. Vuelve a toser.)* Apaga la luz, ¿quieres? Me duele la cabeza.

(El AMIGO *hace ademán de apagar la luz. Queda la escena en una tibia penumbra, muy agradable. Se sienta a los pies de la cama.)*

CROCK. —¿Tú conoces el mar?
AMIGO. —Sí.
CROCK. —¿Es muy bonito?
AMIGO. —Mucho. ¿Tú no lo has visto?
CROCK. —Nunca ¿Y qué dice la gente cuando lo ve?
AMIGO. —Nada. Mira con atención y escucha el ruido de las olas sin respirar. Algunos se mojan los pies. Y las manos. Otros, después de mirar al mar, miran el cielo.
CROCK. —Cuando yo vaya me mojaré los pies, y las manos, y la cara, y luego miraré al cielo. Será como estar mirando un mundo diferente, que no tenga nada que ver con esto. Un mundo sin oficinas y sin tinta, sin casas y sin muebles. Un mundo con una ventana muy grande por la que puedes mirar siempre, sin cansarte nunca... *(Tose.)*
AMIGO. —No hables; es peor.
CROCK. —Es igual. *(Un silencio breve.)* Si alguna vez consigo dinero iré al mar. Cuando era chico, siempre pensaba que tenía que ganar mucho dinero para vivir mejor que mis padres. *(Transición.)* Mi padre era un buen hombre. A veces se emborrachaba, para olvidarse Dios sabe de cuántas cosas. Yo juré no emborracharme nunca. Y es lo único que he conseguido de todo lo que me he propuesto. ¿Por qué no será todo el mundo un mar muy grande, muy tranquilo, lleno de color azul y olor fresco?
AMIGO. —¿No pides mucho, Crock?
CROCK. —¿Nunca has pedido tú nada?
AMIGO. —Una vez, de pequeño, pedí una pelota. No me la compraron. Desde entonces no he vuelto a pedir nada.
CROCK. —¿Quieres que vayamos al parque?
AMIGO. —Hoy, no. Cuando te encuentres mejor.

CROCK. *(Incorporándose con rabia.)* —¿Tú crees que se puede mejorar? ¡No, no se puede mejorar!

AMIGO. —Ten paciencia...

CROCK. *(Acostándose, jadeante.)* —De pequeño, mi madre me llevaba al parque. Los domingos me alquilaba una bicicleta... ¡Una bicicleta! Allí aprendí a montar. Hacía mucho calor y yo corría con todas mis fuerzas. Parece como si todo aquello no hubiera sido nunca verdad. Como si lo hubiera soñado. Y a lo mejor lo he soñado. No puede haber cosas tan bonitas como ese trago de agua que se sueña que se bebe a morro en la fuente del parque, cuando se está reventado de correr. Y los pájaros no cantan al caer la tarde, no hay brisa fresca ni los árboles se mueven como si fueran personas alegres. Todo eso son sueños de niño. Nadie lo ha visto. Lo hemos soñado. Lo único que hay de verdad es esta cama, la oficina, el jefe, tu amigo el de los pisos... Mi mujer, chillando siempre; los chicos, diciendo palabrotas... Eso, eso es la verdad. La única verdad. *(Se ha ido incorporando poco a poco.)*

AMIGO. *(Obligándole a echarse de nuevo.)* —Procura dormir. Voy a marcharme, para que descanses.

CROCK. *(Cogiéndole la mano.)* —No te vayas. Me paso tantas horas rodeado de gente que no es mi amiga, que cuando estoy contigo no quisiera que pasara el tiempo. No te vayas.

AMIGO. —Me quedaré. Pero calla y descansa.

(Entra FRIDA. *Es una mujer apetitosa y limpia. Enciende la luz.)*

FRIDA. —¡En la cama! Ahí puedes estar. Y luego, cuando llegas al pueblo, te llenas la boca de decir que te has pasado toda la semana trabajando. ¡Así, así es como trabajas tú!

CROCK. —Frida, hija, ¿cómo has venido?

FRIDA. —Con dinero prestado, en el coche de línea.

CROCK. —¿Para qué?

FRIDA. —¡Para que te vengas al pueblo! Tienes que arreglar un asunto.

CROCK. —Más complicaciones. (*Al* AMIGO). Siempre hay más complicaciones.
FRIDA. —¡Y qué complicaciones! El maestro fue anoche a casa...
CROCK. —¿Don Froilán?
FRIDA. —A don Froilán le han jubilado. El nuevo fue a casa a decirme que los chicos no estudian y que han apedreado al ama del señor cura, y a la sobrina del alcalde, y a un perro cojo. Se han comido los huevos del guarda de la Cooperativa y no han dejado un farol sano.
CROCK. —Los chicos... Ya se sabe. Es mejor que sean traviesos.
AMIGO. —¡Se hacen más fuertes!
FRIDA. —¡No diga tonterías! ¡Se hacen más burros! Porque no estudian nada. Estuvo mucho rato...
CROCK. —¿Quién?
FRIDA. —El maestro. Anoche. Le di café y anís. Estuvo en casa hasta muy tarde. Luego... (*Mirando al* AMIGO.) ¿No te importa que te lo cuente delante de este señor?
CROCK. —No, mujer. Es mi amigo.
FRIDA. (*Fastidiada.*) —¡Los amigotes! ¡Tu diversión de siempre!
AMIGO. —¡Señora!...
CROCK. —¿Quieres hablar de una vez?
FRIDA. —Quiero, sí, señor. Luego nos pusimos a hablar de las cosas del pueblo, de por qué estaba allí con los chicos. Hablamos mucho rato. Es muy simpático... Me contó muchas cosas. Era ya el alba cuando se fue.
CROCK. —Bueno, ¿y qué?
FRIDA. —¿No te lo imaginas?
CROCK. —¿Me imagino qué?
FRIDA. —Quiso abrazarme.
CROCK. —Mujer, en el fondo no tiene mucha importancia.
FRIDA. —¿Eso es todo lo que se te ocurre?
CROCK. —Cuando vaya el sábado, por la noche, hablaré con él. Le diré que te deje en paz.
FRIDA. —No me dejará. Ha dicho que esta noche volvería a casa.
CROCK. —Pues eso no me parece bien. Es una desvergüenza.

FRIDA. —¡Tienes que venirte al pueblo esta misma tarde!
CROCK. —No puedo.
FRIDA. —¡Tienes que venir!
CROCK. —Tengo que quedarme aquí. La oficina... El dinero...
FRIDA. *(Al* AMIGO.*)* —¡Luego le extrañará que un día me líe la manta a la cabeza! ¡Me tiene abandonada! *(*EL AMIGO *hace un gesto de resignación.)*
CROCK. —¡No es verdad! Voy todos los sábados a verte.
FRIDA. —Pero te vienes los lunes.
CROCK. —Para trabajar.
FRIDA. —¡Para estar tumbado!
CROCK. *(Nervioso. Muy bajo.)* —Estoy malo, Frida.
FRIDA. *(Llevándose las manos a la cabeza.)* —¡Ya salió la enfermedad!
AMIGO. —Es cierto, señora.
FRIDA. —Usted se calla.
CROCK. —¡Frida!...
FRIDA. —¡Y tú también te callas! ¡Siempre enfermo! Pero esos truquitos se te van a acabar. La gente ya te va conociendo. En la oficina saben que no has ido y que no estabas aquí cuando ha venido el médico a verte.
CROCK. —¡El médico!
FRIDA. —El médico que han mandado para comprobarlo. Cuando yo estaba en la oficina, ha telefoneado para decir que no estabas en casa cuando ha venido. ¡Si hubieras visto la cara que ha puesto tu jefe!
CROCK. *(Interesadísimo.)* —¿Qué ha dicho?
FRIDA. *(Al* AMIGO.*)* —¿Lo ve? Sólo le interesan sus cosas. ¡A él qué le importa que el maestro me persiga!
CROCK. —¡Vamos, Frida! ¿Qué ha dicho?
FRIDA. —No ha dicho nada. Ha puesto una cara muy divertida y muy rabiosa. Y se reía.
CROCK. *(Aterrado.)* —¿Se reía?
FRIDA. —Sí. Y se ha frotado las manos.
CROCK. *(Al* AMIGO.*)* —¡Se reía y se ha frotado las manos!
FRIDA. —Bueno, ¿qué? El maestro volverá esta noche a casa.
CROCK. —¡Dile que se vaya!

FRIDA. —¡No querrá!
CROCK. —¡Echale!
FRIDA. —¡Entrará!
CROCK. —Dile que lo sé yo.
FRIDA. —Se reirá.
CROCK. *(Extrañado.)* —¿Por qué?
FRIDA. —No tiene miedo. Es joven y fuerte.
CROCK. *(Amenazador.)* —¡Ese hombre no me conoce!
FRIDA. —Sí. Le han hablado de ti.
CROCK. *(Hundido.)* —Le habrán dicho que estoy muy débil.
FRIDA. —Por eso se ha reído. ¿Y sabes lo que me dijo? Que una mujer como yo necesita un hombre que la abrace y que la pegue cuando llegue el momento. Dice que él puede hacerlo... *(Con admiración.)* Y puede que sea cierto. Parece un mozo muy decidido. Es recio y alto. *(En tono más bajo.)* Tú siempre llegas cansado al pueblo. Ni siquiera me das un beso. Compréndelo, Crock: necesito un marido..., y tú no lo eres.
CROCK. *(Irritado.)* —¡Si no lo fuera no habrías parido dos hijos!
FRIDA. —¿Se acaba el matrimonio cuando se han parido dos hijos?
CROCK. —Sí. O no. Puede que no. A lo mejor sí se acaba. ¡Yo qué sé! Me duele la cabeza; estoy cansado. No hay pisos. No hay dinero. No hay nada. ¡Déjame en paz! Estoy harto de historias. Vuélvete al pueblo y dile a ese hombre que iré el sábado y le arreglaré las cuentas.
FRIDA. —¡Tienes que ir hoy!
CROCK. —No puedo.
AMIGO. —¿Quieres que vaya yo?
FRIDA. —¿Usted?
AMIGO. —Puedo hablar con ese hombre...
FRIDA. —Eso es asunto de este.

(Entra la SEÑORA SLAMB *con una carta en la mano.)*

SEÑORA SLAMB. —Esta carta... *(Se la da a* CROCK.*)*

CROCK. —¿Quién la ha traído?
SEÑORA SLAMB. —¿Eh?
CROCK. *(Gritando.)* —¿Quién la ha traído?
SEÑORA SLAMB. —Un motorista. ¡Hacía un ruido con la moto!...
CROCK. *(Mirándola.)* —¡Es de la Dirección! *(La abre, lee y después queda absorto.)*
FRIDA. —¿Qué dice?
AMIGO. —¿Es algo serio? *(*CROCK *sigue un momento abstraído.)*
FRIDA. —¿Quieres hablar? *(*CROCK *se pone la raída gabardina, que se había quitado al principio de este cuadro, y hace ademán de salir.)* ¿Dónde vas?
AMIGO. —No debes salir.
FRIDA. —¿Te han dicho que vayas?
CROCK. —Sí.
FRIDA. —¿Ahora mismo?
CROCK. —No, mañana. Pero si voy mañana a lo mejor llego tarde. Adiós...

(Va a salir. Le detiene el AMIGO.*)*

AMIGO. —Espera; no puedes irte así...
FRIDA. —¡Déjale que se vaya! Por lo menos, que mire por el pan de sus hijos.
CROCK. —¡Cállate!
FRIDA. —¡No me da la gana! ¡Lo que me voy a reír cuando me digan que te han echado!
CROCK. —¡O te callas o...! *(*CROCK *levanta la mano para pegarla. Queda con la mano en el aire.)*
FRIDA. *(Desafiante.)* —¡Anda, pégame!
CROCK. *(Bajando la mano.)* —Debía pegarte. Te lo mereces. ¿No dices que los hombres tienen que saber pegar?
FRIDA. —Los hombres, sí. *(Un silencio. Transición.)* Dame dinero. Tengo que volverme al pueblo.
CROCK. —No tengo dinero.
FRIDA. —Hoy han pagado en la oficina. Lo decían por los altavoces.
CROCK. —Yo no he cobrado.

FRIDA. —¿Por qué? *(Un silencio.)* ¿Por qué? *(Zarandeándole.)* ¿Por qué no te han pagado?

CROCK. —No estaba en la nómina.

FRIDA. —¿Por qué? *(*CROCK *se encoge de hombros.)* ¿Por qué? *(Un silencio.)* ¿Te han castigado? *(Gesto de impotencia de* CROCK.*)* ¡Te han castigado! ¿No se te ocurre pensar en tu familia? ¡No! ¡Qué va! Lo único que te interesa es estar lejos de nosotros, vivir tu vida. ¡Pedazo de adoquín! Y ahora, ¿qué vamos a comer en casa? ¡Claro, tú comerás bien! Te gusta comer bien.

CROCK. —Me gustaba...

FRIDA. —¡Lárgate a la oficina y arregla tus asuntos! *(*CROCK *hace ademán de salir.)*

AMIGO. —Te acompaño.

FRIDA. —¿De juerga?

AMIGO. —No, señora Tengo que ir a recoger unos bonos de comida... Son gratuitos. Hay que comer...

FRIDA. —¿Oyes? Hasta tu amigo lo dice. ¡Hay que comer! ¡Podías pedir, al menos, unos bonos para nosotros!

CROCK. —Yo no tengo derecho. No estoy cesante.

FRIDA. —¡Y luego te irás por ahí con él!

CROCK. —Sí, me iré de juerga. Cogeré una mujer guapa y bien vestida, alquilaré un coche y me la llevaré al campo a comer cochinillo asado y a beber champán. Luego me marcharé con ella a un baile, y cuando esté reventado de bailar, nos iremos a un hotel tranquilo. Uno de esos hoteles con alfombras de un palmo. Seguiré la juerga hasta que no pueda más de divertirme, hasta que me muera. ¿Te gusta el plan? ¿Por qué no vienes? ¿Eh?

FRIDA. —¡Clarito que voy! Ahora mismo.

CROCK. *(Más calmado.)* —Pero, mujer, compréndelo. Tengo que ir a la oficina.

FRIDA. —¡Pues vamos a la oficina!

CROCK. —Mujer, ¿cómo vas a venir? Eso es cosa de hombres.

FRIDA. —¡Vamos!

*(*CROCK *hace un gesto de resignación. Mira al* AMIGO*, que hace un gesto de impotencia. Luego mira a su mujer.)*

CROCK. —Vamos...

(Salen los tres.)

OSCURO

CUADRO CUARTO

En la oficina de CROCK *otra vez. Ahora, en el lujoso despacho del señor director, como diría* FRANK. *Al fondo hay un sillón que tiene algo de trono. Está pegado completamente al foro y ante él hay una gran mesa, una mesa enorme.*

(Sentado en el sillón, el DIRECTOR. *A ambos lados, ligeramente inclinados, hablándole, están* FRANK *y* LIVI. *No es posible entender lo que hablan. Por un lateral entra el* CONSERJE. *Desde que entra adopta una postura ridícula. Se acerca hasta la mesa andando a cuatro patas. Dice algo; los otros comentan lo que acaba de decirles, y, por fin,* FRANK *da una orden al* CONSERJE, *que se retira como entró, pero caminando esta vez de espaldas. Al cabo de un momento aparecen en la puerta* CROCK *y su mujer.)*

(Cesa la música de golpe.)

CROCK. —¿Da su permiso?
FRANK. —¿Qué desea?
CROCK. —He recibido esta carta...
FRANK. —Al señor Director no se le importuna porque haya recibido una carta.
CROCK. —Esta carta es suya.

FRANK. —¿Es de usía ilustrísima? ¡Hable con propiedad!
CROCK. —Sí, eso, de usía. Y usía me dice en la carta que me presente a usía. (CROCK *tiene la carta en la mano.)*

(LIVI *se ha acercado a* CROCK *y le ha cogido la carta.* EL DIRECTOR *la toma y la lee. Dice algo a* FRANK.*)*

FRANK. —Esa citación es para mañana.
CROCK. —Mañana puede que no tenga solución mi asunto.

(EL DIRECTOR *dice algo a* FRANK.*)*

FRANK. —Al señor Director eso no le importa.
CROCK. —Tiene que oírme antes de darme el cese. Necesito mantener a mi familia.
FRANK. (EL DIRECTOR *dice algo a* FRANK.*)* —Se ha instruido el oportuno expediente. Mañana sabrá usted el fallo.
CROCK. —¿Pueden, por lo menos, decirme si me van a echar?
FRANK. —Mañana.
CROCK. —¡Por favor, necesito saberlo!
FRIDA. —Verás cómo te echan. Y te lo tienes merecido. ¡Sí! ¡Merecidísimo!
CROCK. —Calla, mujer. ¿Me echarán?
FRANK. —Se está estudiando el voluminoso expediente. No se sabe nada. Mañana. Mañana.
CROCK. *(Al* DIRECTOR.*)* —Señor Director, mañana puedo haberme muerto.
DIRECTOR. *(Con voz campanuda.)* —En ese caso, aténgase a las consecuencias. ¿Quién es esa mujer?

(CROCK *no responde.)*

FRANK. —¡El señor Director quiere saber quién es esa mujer!
CROCK. —Es Frida, mi mujer... Frida... Te presento al señor Director, al señor Jefe de Personal y al Administrador Mayor...

FRIDA. —Mucho gusto ¿Cómo están ustedes? *(Se acerca y les da la mano. A los tres les ha cogido de sorpresa la reacción y no dicen nada.)* Hacen ustedes muy bien metiendo en cintura a éste. Hay que atarle corto. Los hombres, ya se sabe. ¡Si yo les contara a ustedes!

(Cuando va a tomar aire para seguir hablando la cortan violentamente.)

DIRECTOR. —¡Basta! ¡Basta! *(A* CROCK.*)* ¡Es una falta de disciplina traer la esposa a la oficina! ¡Huy! ¡Un verso!
FRANK. —Un pareado...
CROCK. —Se ha empeñado en venir... Quería enterarse de mi asunto.

(El DIRECTOR *dice algo a* FRANK.*)*

FRANK. —El señor Director dice que es usted un calzonazos.
CROCK. —Ella tiene mucha energía. Un carácter muy fuerte, señor Director.

(El DIRECTOR *dice algo a* FRANK.*)*

FRANK. —El señor Director dice que se vaya. ¡Que se vaya ahora mismo!
CROCK. —Ya lo has oído. ¡Vete!
FRIDA. —¡Ni hablar! Me quedo. Ahora es cuando esto se va a poner bueno, ¿verdad, señores jefes?
DIRECTOR. —¡Que se vaya!
CROCK. —Mujer, vete.
FRIDA. —No tengo dinero para volverme al pueblo.
CROCK. —Pues yo tampoco...
FRIDA. —El coche cuesta tres duros.
CROCK. —¡Píntalos! No los tengo.
FRIDA. —¿Lo ven? Así me tiene siempre. Sin un céntimo. Nunca hay un duro en casa para un extraordinario. ¡Nunca! ¿Se dan ustedes cuenta, señores jefes? Pero ustedes no consentirán que me vaya andando al pueblo.

Me darán un anticipo a cuenta de lo que tiene que cobrar éste el mes que viene. ¿Verdad que sí?

(El DIRECTOR *le dice algo a* LIVI.*)*

LIVI. —Fírmame un recibo a cuenta de lo que tienes devengado este mes, Crock. (CROCK *hace ademán de acercarse a la mesa del* DIRECTOR. *Conteniéndole con la mano.)* No te acerques.
FRANK. *(Frotándose las manos.)* —Hay que mantener la distancia.

(CROCK *se pone de rodillas, saca un sucio papel y una punta de lapicero, chupa la punta y escribe, apoyándose en el suelo. Luego se pone en pie. Va hacia la mesa del* DIRECTOR*; pero* FRANK *lo contiene, mientras* LIVI *se acerca a coger el papel.)* ¡Quieto!

LIVI. —Dámelo a mí. *(Al* DIRECTOR.*)* Señor Director... Estos dispendios... ¿Por qué no le damos sólo trece pesetas?
FRIDA. —Pero, ¡el coche cuesta tres duros justos!

(Gesto de magnanimidad del DIRECTOR.)

LIVI. *(Triste.)* —Ahí van los tres duros.
FRIDA. —Muchas gracias. Y descuiden. No volveré a molestarles.
LIVI. —De eso estamos seguros. *(Sonríe misteriosamente. Mira a los otros dos, que también sonríen.)*
FRANK. *(Ante una indicación del* DIRECTOR.) —¡Y ahora váyanse!
CROCK. —¡Necesito saber cómo va mi asunto!
FRANK. —Mañana.
CROCK. —Señor Director... *(Implorante.)*
DIRECTOR. —Mañana.
FRANK. —¡Váyanse! Son las siete de la tarde y el señor Director tiene que despachar muchos asuntos importantes.
FRIDA. —¿Las siete ya? ¡Qué barbaridad! Es tardísimo.

Voy a perder el coche. *(Hace ademán de salir. Al llegar a la puerta se para y mira a su marido.)* Bueno, Crock, ¿qué le digo al maestro?

CROCK. *(Violentísimo.)* ¡—Mujer!....

(El DIRECTOR *se levanta y escucha la conversación en pie. Hace un gesto a* FRANK *y* LIVI *y estos le traen un pedestal. El se sube y escucha.)*

FRIDA. —Va a ir esta noche a casa. Tomará café conmigo y... Ya sabes lo que te he dicho. Me parece que ese es de los que no respetan nada. Yo no soy de piedra. Crock, ¿qué hago?

CROCK. —¡No consientas!

FRIDA. —¿Y si insiste?

CROCK. —¡Dile que iré el sábado y le ajustaré las cuentas!

FRIDA. —No le importará.

CROCK. *(Gesto de impotencia.)* —¡No puedo hacer nada más!

FRIDA. —Es alto y fuerte.

CROCK. —Tú eres buena, Frida. ¿Verdad que eres buena?

FRIDA. —Pero no soy de piedra, hijo, no soy de piedra. *(Un breve silencio.)* ¿Qué hago, Crock?

CROCK. *(Sin fuerzas.)* —Tú verás, Frida, tú verás.

FRIDA. —¿Yo veré? ¡Está bien, yo veré! ¡Adiós! *(Sale.)*

(Los tres hombres cuchichean un momento.)

FRANK. —El señor Director quiere saber qué asunto es ese del maestro.

CROCK. *(Muy violento.)* —Nada de particular. No tiene importancia.

DIRECTOR. —Quiero saberlo.

CROCK. *(Humildemente.)* —Señor Director..., el maestro del pueblo persigue a mi mujer. Por lo visto quiere conseguir algo.

DIRECTOR. —¿Qué?

CROCK. *(Gesto de entendimiento.)* —Ya sabe...

DIRECTOR. —¡Ah! ¿Su mujer es...?

CROCK. —¡No; no, señor! Es muy decente.

DIRECTOR. *(Confidencial.)* —¿Y usted cree que el maestro conseguirá algo?
CROCK. —Creo que... no.
DIRECTOR. —¿Está seguro de que no ha conseguido nada aún?
CROCK. —Segurísimo.
DIRECTOR. —¿Y que no conseguirá?...
CROCK. —No sé...
FRANK. —Sea respetuoso con el señor Director, ¡ea! ¿Lo conseguirá? ¿O no lo conseguirá?
CROCK. —¡Y a ustedes qué les importa!

(Mirada del DIRECTOR)

FRANK. —¡Salga de aquí ahora mismo! Esa no es forma de contestar.
CROCK. —Perdone; pero... yo no sé si lo conseguirá.
DIRECTOR. —¡Fuera!
CROCK. —Es muy difícil decir sí o no. Mire, señor Director, por lo visto él es muy tozudo y muy fuerte. Pero. Pero mi mujer es muy decente. El es muy alto... No sé... ¡Mi mujer no es de piedra! ¡Yo no sé nada! Me duele la cabeza y estoy muy cansado.
FRANK. —Está bien. Puede retirarse.
CROCK. —En seguida. *(Transición.)* ¿Me van a echar?
LIVI. —Aún no se ha dictado acuerdo.
CROCK. —¿Me echarán?
FRANK. —Mañana. Venga mañana.
CROCK. —Tengo que conservar ese sueldo. *(Tímidamente.)* ¿Me echarán?
FRANK. —Mañana.
DIRECTOR. —Mañana.
LIVI. —Mañana se resuelve el expediente.
CROCK. —Pero necesito saber...
LOS TRES. —¡Mañana, mañana, mañana, mañana!
CROCK. —¡Hoy, quiero saberlo hoy; necesito saberlo hoy, hoy, hoy, hoy...!

(Repite el hoy con una insistencia desesperante. El DIRECTOR *dice algo a* FRANK *y* LIVI. *Estos*

empiezan a tocar todos los timbres que hay sobre la mesa del DIRECTOR *y a descolgar todos los teléfonos que hay sobre la mesa de éste.)*

(Aparecen los tres empleados.)

LOS TRES. —A sus órdenes, señor Director.

DIRECTOR. —¡Derróquenlo!

(EL DIRECTOR, FRANK *y* LIVI *señalan con el dedo índice la salida. Los tres empleados hacen una reverencia y se abalanzan sobre* CROCK *como tres fieras. Luchan con él. Está casi reducido, pero se revuelve y grita:)*

CROCK. —¡No me pueden echar! Le juro a usted que procuro hacer todo lo mejor que puedo. Le juro a usted que estoy enfermo. Le juro que me duele la cabeza, que me duele muchísimo la cabeza. Parece como si me estuvieran metiendo siempre un puñal en la nuca. *(Gesticula con la mano libre.)* Quiero oler las flores en primavera, quiero comer..., quiero respirar hondo... Quiero que me dejen en paz, quiero vivir en paz, quiero querer a todo el mundo. *(Se desvanece.)* Quiero ser simpático; pero cómo se puede ser simpático, ¿cómo?

(Cae al suelo. Los tres se sacuden las manos.)

DIRECTOR. *(Firmando en el expediente.)* —¡Asunto despachado!

FRANK. *(Secando la firma.)* —¡Asunto despachado! *(Muy alegre.)*

LIVI. *(Poniendo su sello.)* —¡Asunto despachado!

(El DIRECTOR *cierra el expediente y se deja caer en el sillón.* FRANK *y* LIVI *le aplauden. Luego, cada uno coge un tintero, los chocan y beben.)*

TELON

PARTE SEGUNDA

Han pasado sólo veinticuatro horas desde los acontecimientos ocurridos. CROCK, *sin duda alguna, estaba agotado y se ha ido a su casa a acostarse. Acostado le vamos a encontrar cuando empieza esta segunda parte.* CROCK, *en este acto, lleva un pijama a rayas horizontales y un gorro redondo, de dormir. Sobre el pecho, en el lado izquierdo, lleva bordadas toscamente unas iniciales que recuerdan, no demasiado vagamente, los números de los presidiarios. En realidad, todo su atuendo debe recordarnos el de un recluso. Este pijama lo llevará en todas las escenas, hasta el final.*

CUADRO PRIMERO

Habitación de la miserable pensión de CROCK. *Por la mañana.*

(Al alzarse el telón, la escena está completamente a oscuras. Poco a poco se va iluminando. CROCK *está acostado. Hay un silencio.* CROCK *se incorpora levemente, se frota los ojos, da media vuelta y queda, mirando hacia el foro, amodorrado. Suena una graciosa musiquilla.)*

(Entra la patrona.)

SEÑORA SLAMB. —¡Señor Crock...! ¡Señor Crock! Es la hora.

CROCK. *(Amodorrado aún.)* —Déjeme cinco minutitos más.

SEÑORA SLAMB. —Ahí fuera hay un señor que pregunta por usted.

CROCK. *(Igual.)* —¿Quién es?
SEÑORA SLAMB. —No sé.
CROCK. —¿Qué quiere?
SEÑORA SLAMB. —Sólo me ha dicho que tiene que hablar con usted urgentemente.
CROCK. *(Desperezándose.)* —Está bien. Que pase. *(Se incorpora.) (La patrona sale. Al cabo de un momento vuelve a entrar seguida por* FRANK *y por los tres empleados.)*
FRANK. —Buenos días, señor Crock. *(Mira el reloj.)* Qué, ¿todavía en la cama?
CROCK. *(Que ha saltado rápidamente y ya está en pie.)* —Anoche no podía dormirme. Me dolía la cabeza... Sólo veía la escena de ayer en el despacho del Director... *(Los tres empleados se sientan en la cama.)*
FRANK. —¡Del señor Director!
CROCK. —Sí, del señor Director. Era como una pesadilla. Me dormí cuando ya era de día. Pero... ya iba a levantarme.
FRANK. —De todas formas, habría llegado tarde a la oficina.
CROCK. —No crea. Tardo en llegar seis minutos.
FRANK. —¿En el tranvía?
CROCK. —No, señor, corriendo.
FRANK. —¡Bah, bah! De todas formas ya ha pasado la hora de fichar. *(Abriendo su cartera de cuero, negra, y buscando.)* Vengo a notificarle el fallo del acuerdo recaído en su voluminoso expediente. No es necesario que vaya hoy a la oficina.
CROCK. —¡Cómo! ¿Me autorizan a faltar?
FRANK. —En cierto modo, sí.
CROCK. —Pero tengo que ir. El Director... *(Corrigiéndose.)* El señor Director me decía en su escrito de ayer que tenía que presentarme hoy. No recuerda que ayer por la tarde me dijeron que...
FRANK. —No recuerdo nada de ayer por la tarde. Lo único que recuerdo son las órdenes del señor Director. No quiere volver a verle. Y he sido comisionado para notificarle el fallo personalmente.

(Entrega un sobre a CROCK. *Este lee. Suena una música de «jazz.»* CROCK *deja caer lentamente el papel de las manos.* FRANK *se inclina, lo recoge y se lo entrega otra vez.)*

CROCK. *(Igual. Después de mirarle con desprecio.)* —«En uso de las atribuciones que me están conferidas y a la vista del voluminoso expediente incoado contra Crock, de treinta y cinco años, empleado, casado y enfermo crónico, por rebeldía y acciones reiteradas de falta de acatamiento a la jerarquía, tengo a bien disponer: Primero. Que el encausado cese en su función a partir del día de hoy. Segundo. Que le sean retirados todos los derechos, tanto a efectos de jubilación por vejez, invalidez y enfermedad, como a efectos de saludo, consideración humana y demás accesorias. Tercero. Se le prohibirá, asimismo, pisar los alrededores de esta dirección en un radio de acción de quinientos metros. Queda de usted afectísimo, seguro servidor... Tantos de tantos de mil y tantos. Firmado: el Director. *(Mirando a* FRANK *con ojos de loco.)* ¡Lo han conseguido! ¿Por qué una venganza tan tremenda?

FRANK. —No es cosa mía. El señor Director, amigo Crock. Usted sabe que yo...

CROCK. *(Cortándole.)* —¡Usted es el Jefe de Personal! Usted ha tenido que informar mi expediente.

FRANK. —¡Dios me libre! ¡No sé nada!

CROCK. —¡Dios le libre! Dios le tiene que librar de muchas cosas.

(Cogiéndole por las solapas.)

FRANK. *(Aterrado.)* —Por Dios, Crock, no se violente. Yo no soy más que un subordinado. Yo no decido.

CROCK. —No. Algo peor: ¡intriga!

FRANK. —Bueno, me tengo que ir. *(Lo ha dicho tímidamente, asustado.*

(Hace ademán de salir.)

CROCK. —¡Un momento! *(El otro se para.)* ¿Qué les he hecho yo?
FRANK. —Ayer vino el médico y usted no estaba en casa.
CROCK. —¡Tenía que encontrar piso!
FRANK. —El informe del médico que vino ayer ha sido definitivo. *(Sibilino.)* Aparte de otras cosas que pertenecen al secreto del sumario.
CROCK. —Luego usted sabe cómo fue mi asunto.
FRANK. —He oído algo por la secretaria del Director. Las faltas de disciplina, las faltas de respeto, las faltas de compañerismo, las faltas de aplauso a las decisiones del señor Director...
CROCK. —¡Las faltas! *(Pensativo.)* ¿Y puedo reclamar?
FRANK. —Los fallos del señor Director son inapelables.
CROCK. —Pero yo tengo derecho a defenderme. Lo dicen los códigos.
FRANK. —Nadie se lo niega. Defiéndase.
CROCK. —¿Cómo? ¿No dice que los fallos son inapelables?
FRANK. —Completamente inapelables.
CROCK. —Entonces ¿a quién reclamo?
FRANK. —Al Alto Tribunal de Apelaciones Inapelables.
CROCK. —Pero si los fallos son inapelables no me harán caso.
FRANK. —Eso ya no es cosa nuestra. Los tribunales son los que tienen que decidir. La oficina ha dictado su fallo.
CROCK. *(Despectivo y escéptico.)* —La oficina...
FRANK. —La maravillosa oficina.
CROCK. —¿Quién es la oficina?
FRANK. —¡Todo esto! *(Señalando a su alrededor.)*
CROCK. —¡Ustedes son la oficina! El Administrador Mayor... usted... el Director.
FRANK. —Sea respetuoso. *(Recalcando.)* ¡El señor Director!
CROCK. —¡Váyase al cuerno! ¡Y el Director también!
FRANK. —Esta exclamación se unirá al expediente.
CROCK. —¡Unasela a las narices si quiere! Para lo que puede servir ya...
FRANK. —Para ulteriores referencias, para ulteriores referencias.
CROCK. —Referencias... ¡Ja, ja, ja...! *(Ríe estrepitosamente.)*

(Durante esta escena, CROCK *dejó caer al suelo la carta en la que le comunicaban el cese y la* SEÑORA SLAMB *la ha recogido y la ha leído. Luego, haciendo bocina con la mano, ha escuchado atentamente el final de la conversación. Al ver reir a* CROCK, *estalla, blandiendo el oficio.)*

SEÑORA SLAMB. —Pues no le veo la gracia, señor Crock.
CROCK. *(Riéndose aún.)* —¡Es graciosísimo!
SEÑORA SLAMB. —¿Graciosísimo que le pongan de patitas en la calle? *(A* FRANK.*)* ¿No es así, señor?
FRANK. —Así es, anciana señora.
SEÑORA SLAMB. —Usted está chiflado, señor Crock. *(A* FRANK.*)* Ya me parecía a mí que este hombre no andaba bien. (FRANK *asiente complacidísimo.)* Figúrese que todas las noches cenaba un bocadillo de cuartilla.
FRANK. —Quien más quien menos, cena tortilla.
SEÑORA SLAMB. *(Que le ha escuchado muy atenta.)* —No, nada de tortilla. ¡Cuartilla! Una cuartilla blanca doblada en varios pedacitos.
FRANK. *(Iluminado.)* —¡Ah! Cuartilla blanca, ¿con membrete?
SEÑORA SLAMB. —No puedo decirle.
FRANK. —Se unirá al expediente. Esas cuartillas serán, sin duda, de la oficina.
CROCK. —Lo eran, ¡sí! ¡No se puede vivir del aire!
SEÑORA SLAMB. —No señor. Y si no tiene dinero para pagarme, tendrá que dejar libre el cuarto cuanto antes.
CROCK. —No se apure, señora Slamb. Conseguiré otra cosa. Me van a dar otro empleo. Un empleo en una oficina limpia, donde no hay ratas asquerosas como usted; una oficina donde se pueden oler flores y fumar pitillos.
FRANK. —¡Me extraña! Una oficina así es una mala oficina.
CROCK. —¡Lo será para usted!
FRANK. —Bien, no puedo entretenerme. *(Sacando un recibario.)* Firme aquí el recibí del cese.
CROCK. —¡Para qué!
FRANK. —¡Para cumplir el reglamento!
CROCK. *(Rompiendo a reir.)* —¡A la porra el reglamento! ¡No firmo! ¡No firmo!

FRANK. —¡Firme!
CROCK. —¡No! *(Le saca la lengua.)*
FRANK. —¡Ah!, ¿no quiere? ¡Está bien! *(Está muy furioso. Da dos palmadas. Los tres empleados se ponen en pie, se inclinan, se cuadran y permanecen inclinados levemente y en posición de firmes.* FRANK *les habla en tono discursivo.)* ¡Empleados! Un hombre indeseable, un hombre que ha sido compañero de ustedes hasta que la Providencia ha querido darle el cese y evitar así la contaminación, se niega a cumplir por última vez el reglamento. ¡Empleados!
LOS TRES. —¡A la orden!
FRANK. *(Haciendo trompetilla con la mano.)* —¡Tararíííí...!

(Los tres arremeten contra CROCK, *sacando tres plumas estilográficas muy grandes de sus chaquetas, las blanden a manera de sables. Reducen a* CROCK *y luego, uno de ellos, le coge la mano y le hace firmar. A* CROCK *sólo le falta echar espuma por la boca.)*

LOS TRES. *(Empiezan a pegarle mientras dicen:)*—

Hay que respetar,
hay que cumplir,
hay que callar,
hay que sonreír.
¡Toma, toma, toma,
para que no tomes la oficina a broma!

(Dejan tullido al pobre CROCK, *medio inconsciente. Saludan al Jefe de Personal y se van cantando)*

¡Viva la vida,
alegre y divertida
¡Viva la vida,
alegre y divertida!, etc.

(Salen.)

SEÑORA SLAMB. *(Viéndoles irse.)* —No deben hacer eso. Si es malo castíguenle, pero no le peguen así, no hay derecho, no hay derecho. Si fuera mi hijo no les hubiera consentido...

FRANK. *(Dando la mano a la* SEÑORA SLAMB.*)* —Encantado, señora. Me retiro, porque aún tengo que notificar otros fallos. *(Dando la mano a* CROCK, *que sigue atontado.)* A su disposición siempre, señor Crock. ¡Buenos días! *(Le estrecha la mano,* CROCK *la retira con asco. Hace una reverencia y sale.)*

SEÑORA SLAMB. *(Después de un largo silencio.)* —No ha estado bien lo que han hecho. Lo siento.

CROCK. —Yo también.

SEÑORA SLAMB. *(Animándole.)* —Ha hecho muy bien haciéndoles creer que iban a darle otro empleo. Así no se reirán de usted, les dará rabia. Pero... yo no puedo tenerle en mi casa. No puedo permitirme el lujo de tenerle de balde. *(Le da el oficio del cese.)*

CROCK. *(Gritándola, furioso.)* —No pienso estar de balde. Ahora mismo iré a buscar a mi amigo y nos iremos a ver a un señor muy importante que ayer me prometió una colocación. *(Hace ademán de salir.)*

SEÑORA SLAMB. *(Por el pijama.)* —Pero ¿no se va a cambiar?

CROCK. —No tengo tiempo. A mi amigo le echan a las nueve del banco del parque para que se quede limpio... el parque, claro, y puedan entrar los niños a jugar. Si no le cojo allí ahora ya no podré verle hasta la noche, y tengo que verle ahora mismo. ¡Ahora mismo! Es mi porvenir, señora Slamb. ¡El pan de mis hijos! No puedo quejarme. Creo que, al fin y al cabo, tengo suerte. Mi estrella no me abandona. Bendita sea mi estrella. ¡Y bendita sea usted! *(Le da un beso muy fuerte en la frente.)* Adiós. Nos iremos ahora mismo a ver al señor importante. *(Respira hondo.)* Ahora hace un buen sol. Es el momento. Ahora o nunca. ¡Adiós! *(Sale.)*

(La SEÑORA SLAMB *le ve salir, sin enterarse de casi nada.)*

SEÑORA SLAMB. —No me venga con cuentos. Si no puede pagar, mañana se marcha de mi casa. Yo no trabajo gratis. *(Se rasca la cabeza.)*

(Vuelve a entrar CROCK.*)*

CROCK. —La pagaré, la pagaré... *(Vuelve a salir. Se oye cómo va repitiendo:)* ¡Ya lo creo que la pagaré! Voy a ganar mucho dinero... ¡Mucho dinero!... ¡Hijos míos, mucho dinero!

OSCURO

CUADRO SEGUNDO

Oficina del señor importante.

(El señor importante está en la misma actitud que en la escena del primer acto. Suena el dictáfono. El acciona.)

SECRETARIA. *(Al dictáfono.)* —Los dos hombres de ayer desean verle.
NEGOCIANTE. —Que pasen.

(El señor importante da, muy divertido, una vuelta al sillón giratorio y luego queda muy serio. Al cabo de un momento entran CROCK *y su amigo.)*

CROCK. —Buenos días.
AMIGO. —¿Cómo está, don Ulrico?
NEGOCIANTE. —Divinamente. Buenos días *(Acciona el dictáfono.)* Me quiere mandar las referencias que pedí ayer del señor... ¿cómo se llama?
CROCK. —Crock.
NEGOCIANTE. —Del señor Crock.
SECRETARIA. *(Al dictáfono.)* —En seguida.

NEGOCIANTE. —Cuestión de un minutito. En seguida concretaremos. *(Entra la* SECRETARIA *con unos papeles. Se los da al* NEGOCIANTE.*)* Gracias. *(Sale la* SECRETARIA. *Mira detenidamente los papeles.)* Veamos... *(Lee. Un momento de silencio. Los dos amigos le miran con nerviosismo. Deja de leer.)* Bien... *(Repasa de nuevo los papeles. Se pasa una mano por la comisura de los labios. A los dos amigos.)* Estos son los informes. A la vista de estos informes no se puede decir que sea usted precisamente un santo, amigo mío. Escuche, escuche... *(Lee.)* «Es un hombre de escasísima capacidad para el trabajo... En cierta ocasión se le vio fumando un cigarrillo mientras resolvía un expediente. Durante los últimos tiempos se ha manifestado, además, como un hombre rebelde. Se ha rebelado contra las decisiones de la administración y se ha llegado a permitir la libertad de hacer preguntas a sus superiores. Sus constantes faltas al trabajo, así como su actitud soberbia y poco respetuosa, han obligado a esta casa (fundada en 1870) a iniciar un expediente contra él, a fin de declarar su inutilidad para el trabajo y la necesidad de su urgente expulsión de esta empresa.» *(Pausa.)* Si yo cometiera la insensatez de admitirle me expondría a una contaminación muy perjudicial para la buena marcha del negocio. Adiós, buenos días. *(Se pone en pie y les tiende la mano.)*

(CROCK *está anonadado.)*

AMIGO. —Pero ¡eso no es verdad! ¡Yo conozco a Crock!
NEGOCIANTE. —¿Quiere decir que todo lo que dice este informe es mentira?
AMIGO. —¡Sí!
NEGOCIANTE. —Entonces, ¿Por qué lo han escrito?
AMIGO. —¡Yo qué sé! ¡Vaya usted a saber los porqués de todo! Es posible que alguien le mire con malos ojos.
NEGOCIANTE. —¿Y por qué mirarle con malos ojos?
AMIGO. —Acaso envidia...
NEGOCIANTE. *(Mirando a* CROCK *con asombro.)* —¿Envidia de esto?

AMIGO. —Sí, de esto. Los imbéciles sienten envidia de todo.

NEGOCIANTE. —Nada, no me convence. Un expediente es un expediente, y sus consecuencias se arrastran toda la vida.

AMIGO. —¡El caso de Crock es injusto, don Ulrico!

NEGOCIANTE. —¿En qué se funda para afirmarlo?

AMIGO. *(Irritado.)* —Conozco a Crock. Es bueno. *(A* CROCK.*)* Ya te decía yo que era mejor dejar todas esas cosas y dormir en un banco del parque. *(Al* NEGOCIANTE.*)* Yo tampoco sirvo para moverme entre los hombres. Pero me di cuenta a tiempo y decidí vivir lejos de ese horrible mundo de reglamentos y gaitas. Vivo en el parque.

NEGOCIANTE. —¿Y qué es eso?

AMIGO. —¿El parque?

NEGOCIANTE. —Sí.

AMIGO. —¡Un lugar que sólo existe para los niños, para los viejos, para los enamorados y para los pájaros!

NEGOCIANTE. —¡Ah, muy interesante! *(A* CROCK.*)* Pues nada, nada, váyase con el amigo a ese sitio. ¡Lo pasarán ustedes bomba! Por lo que a mí respecta, lamento mucho no poder hacer nada por ustedes. Aquí hay unas referencias y he de atenerme a ellas. Buenos días.

AMIGO. —Pero...

CROCK. *(Poniéndose en pie y haciendo callar al* AMIGO *con un ademán.)* —Déjalo. No hay argumentos. Además, ese informe, en parte, es verdad. El otro día puse un florero sobre mi mesa. Había empezado la primavera. ¿Sabe lo que es la primavera? *(El* NEGOCIANTE *niega.)* Pues la primavera... es la primavera. *(El* NEGOCIANTE *asiente perplejo.) (Transición.) (Queda mirando fijamente un objeto que hay sobre la mesa. Como para sí.)* Cuando leía en el periódico que se había cometido un crimen pensaba que al criminal debían matarlo inmediatamente. Eso de los crímenes no está bien; no, señor. *(Cogiendo el objeto que miraba fijamente y que resulta ser un cortaplumas muy afilado.)* ¿Qué es esto?

NEGOCIANTE. —Un cortaplumas.

CROCK. *(Pasándoselo por la mano.)* —Está muy afilado. ¿Es muy caro?

NEGOCIANTE. —No.

CROCK. —Si tuviera dinero se lo compraba.

NEGOCIANTE. —No vale nada. Los damos de anuncio en mis fábricas. Se lo regalo.

CROCK. —Gracias. *(Lo guarda con mucho cuidado en el bolsillo. Silencio.)* ¿Quién firma ese informe?

NEGOCIANTE. —Un tal...

CROCK. —¿Frank?

NEGOCIANTE. —Exactamente.

CROCK. —Gracias.

NEGOCIANTE. —En fin, señores, son las once... He de comerme el piscolabis y tengo que comprar muchas acciones. ¡Váyanse de una vez!

CROCK. —No se apure. Ya nos vamos y le dejamos en paz. *(Confidencialmente.)* ¿A usted le gusta la paz?

NEGOCIANTE. —Desde luego, pero... *(Hace gesto para que se vayan. Ya salen los dos amigos.)* Vayan con Dios y que se diviertan. *(Al dictáfono.)* Señorita, búsqueme en el diccionario la palabra primavera.

SECRETARIA. *(Leyendo.)* —Estación del año que astronómicamente empieza en el equinoccio del mismo nombre y dura hasta el solsticio de verano. Durante esta estación el Sol atraviesa los signos de Aries, Tauro y Géminis.

NEGOCIANTE. —¡Que tontería! *(Da una vuelta al sillón muy divertido y se queda muy serio.)*

OSCURO

CUADRO TERCERO

En un parque. Un banco y un árbol. La escena, vacía.

(Entran CROCK *y el* AMIGO. CROCK *se sienta con gesto de cansancio. Su amigo también. Un largo silencio. Lejos se oye una musiquilla agradable.)*

CROCK. —Es curioso. Ya no tengo ni hambre. Todo es cuestión de acostumbrarse.
AMIGO. —Claro, estás disgustado...
CROCK. —No sé, pero es maravilloso. *(Sombrío.)* Si mis chicos tampoco tuvieran hambre.
AMIGO. —Se les quitará a medida que crezcan.
CROCK. —Sí. *(Pausa.)* *(Distraídamente saca del bolsillo el cortaplumas. Mientras juega con él.)* Es un crimen, un crimen... Los criminales no tienen derecho a nada. ¿Verdad que no tienen derecho a nada?
AMIGO. —Sí.
CROCK. —Yo tampoco tengo derecho a nada. Pero yo no soy un criminal, ¿verdad?
AMIGO. —No, no lo eres.
CROCK. —Y si no lo soy, ¿por qué no tengo derecho?
AMIGO. —Es mejor no pensarlo.
CROCK. —No puedo dejar de pensar. *(Mirando fijamente el cortaplumas.)* ¿Cómo puede haber hombres como Frank?
AMIGO. —No puedes hacer nada por remediarlo, nada.
CROCK. —¡Sí puedo! Mataré al Jefe de Personal.
AMIGO. —Te llevaran a la cárcel.
CROCK. —¡Y me darán de comer! *(Se pone en pie.)*
AMIGO. —¡No lo harás!
CROCK. —¡Claro que lo haré! Espérame aquí un momento.
AMIGO. —Pero...
CROCK. —En seguida vuelvo.

(Sale. La luz baja hasta dejar casi a oscuras la escena. El AMIGO *se sienta muy despacio en el banco. Saca un periódico del bolsillo y se pone a leer. Una breve pausa. La luz empieza a subir de nuevo muy lentamente. El* AMIGO *está medio amodorrado. Cesa la música en el momento en que por uno de los laterales aparece* CROCK. *Trae el cortaplumas en la mano. Viene pensativo.)*

AMIGO. *(Mirando el cortaplumas.)* —Bien hecho. Es muy importante limpiar bien el arma.
CROCK. —No la he limpiado.
AMIGO. —¿Cómo le has matado?

CROCK. —No le he matado.

(Un silencio. El diálogo se hace más pesado, más denso.)

AMIGO. —¿Se ha defendido bien?

CROCK. —No. Cuando me ha visto aparecer estaba pálido. Le temblaban las manos. Saqué el cortaplumas y me acerqué a él. Me miraba con terror. Trató de llamar a todos los empleados. Pero no podía llegar al timbre. Estaba temblando como un azogado. Juraba entre gimoteos que él no tenía la culpa, que era cosa del Director. Levanté la mano..., y cuando iba a clavárselo *(Por el cortaplumas.)* empecé a sentir asco de mí mismo. La mano se bajó sola, casi sin yo querer. Le escupí y me vine. *(Un silencio. Pensativo.)* Hace falta ser muy cobarde para matar a un hombre.

AMIGO. *(Pensativo también.)* —Yo creo que hay que ser muy valiente.

CROCK. *(Fuera de sí.)* —¡No, señor!

AMIGO. —¿Estás seguro?

CROCK. —¿Tú te atreverías?

AMIGO. —Hombre, puesto a hacerlo.

CROCK. —No, tú tampoco lo harías. *(Poniendo el cortaplumas en el banco.)* Ahí tienes; clávamelo.

AMIGO. —Tú eres mi amigo y no me has hecho nada.

CROCK. *(Después de pensar un momento.)* —Bueno, pues voy a hacerte algo para que me lo claves. *(Pone el cortaplumas en la mano del* AMIGO.*)* Toma. Sujétalo bien fuerte. ¿Estás preparado?

AMIGO. —Sí, estoy... *(Sin saber lo que el otro pretende.)* Pero ¿por qué...?

(CROCK *le da un puñetazo. El* AMIGO *le mira perplejo y se lleva la mano libre a la cara.)*

CROCK. *(Mostrándole el pecho desafiante)* —¡Anda, clávamelo, clávamelo! *(El* AMIGO *le mira perplejo y permanece inmóvil.)* Te estoy pegando, te estoy haciendo algo para que te defiendas. ¡Imbécil! ¡Idiota! Ya no eres mi amigo. No quiero volver a verte. Ahora eres mi enemigo. ¡Mi enemigo! *(Arremete contra él y le empieza a pegar furiosamente, mientras repite:)* ¡Mátame, atrévete a clavármelo, mátame! ¡Clávamelo! ¡Imbecil! ¡Idiota!

(Aparece el VIGILANTE *del parque. Lleva un vistoso uniforme y una carabina en bandolera. Venía paseando lentamente, pero al darse cuenta de que dos hombres están riñendo se acerca, solícito, corriendo y los separa.)*

VIGILANTE. —¡Alto! *(Empuñando la carabina.)* ¡Alto o disparo! ¿Qué pasa aquí?
CROCK. *(Jadeante.)* —Nada.
VIGILANTE. —Deme eso ahora mismo. *(Le quita al* AMIGO *el cortaplumas)* ¿Quería matar a este hombre?
AMIGO. —No.
VIGILANTE. *(A* CROCK.*)* —¿Quería matarle?
CROCK. —No, no quería matarme.
VIGILANTE. —¡No pretenderá encubrirle ahora! El le quería matar con esto y usted se defendía pegándole. ¡Lo he visto yo!
CROCK. —No quería matarme. Hace falta ser muy cobarde para matar a un hombre.
VIGILANTE. —¿Que tonterías dice? *(Cogiendo fuertemente al* AMIGO *por el brazo.)* Usted queda detenido. Y usted, vayáse a casa a vestirse. Tendrá que ir a declarar.
CROCK. —No tengo nada que declarar. Este hombre es mi amigo. Yo, entiende, ¡yo!, estaba tratando de convencerle de una cosa, y entonces he cogido el cortaplumas y se lo he puesto en la mano.
VIGILANTE. —No me haga perder la paciencia. Si es su amigo, ¿por qué le pegaba?
CROCK. —Para demostrarle que hay que ser muy cobarde...
VIGILANTE. —¡Basta de tonterías! ¡Quiero saber la verdad!
CROCK. —¡Esa es la verdad!
VIGILANTE. —¡Como diga una mentira más le detengo a usted también!
CROCK. *(Acosado. A su* AMIGO.*)* —¡Vaya, ayúdame, defiéndete! ¡Dile lo que ha pasado!

AMIGO. —Es inútil. El ha visto que yo tenía el cuchillo en la mano, dirigido hacia ti, y que tú me pegabas. Es el Vigilante. Entiende lo que ve. No se le puede convencer. Es inútil.

CROCK. *(Sudoroso.)* —Escúcheme, señor Vigilante. Este hombre no tiene ninguna culpa. Toda la culpa es mía. ¡Pida informes, pídalos! Ahora, cuando usted ha llegado, le estaba explicando...

VIGILANTE. —¡Se acabó! *(Sacando unas esposas.)* ¡Quedan los dos detenidos! *(Coge a* CROCK *y le ciñe a una muñeca una esposa. La otra la amarra a un extremo del banco. Luego, repite la operación con el* AMIGO*, en el extremo opuesto del banco.)* Por el momento, quedan los dos detenidos. ¡Y ni una palabra! Voy a consultar por teléfono con el Vigilante Jefe. Le explicaré el caso detenidamente, y según sus instrucciones, actuaré.

CROCK. —Entonces necesitará que le explique...

VIGILANTE. —¡A callar! ¡Yo sé muy bien lo que tengo que hacer!

CROCK. —Pero tendrá que decir al Comandante...

VIGILANTE. —¡También sé lo que tengo que decir!

CROCK. —Pero ¿cómo le va a explicar el caso, si no sabe...?

VIGILANTE. —¿Qué yo no sé? ¡Esto es inaudito! ¡Yo lo sé todo! ¡Soy el Vigilante!

CROCK. —¡Ah! *(Transición.)* Sin embargo...

AMIGO. —Calla. Es inútil.

VIGILANTE. —Exacto. Es inútil. ¡Como buen criminal, sabe usted que la Ley es la Ley, y al que Dios se la dé, San Pedro se la bendiga! Si el Vigilante Jefe me confirma qué artículo hay que tener en cuenta, será usted ahorcado. Los criminales acaban siempre así.

CROCK. —No ha llegado a matarme.

VIGILANTE. *(Recalcando.)* —«¡No ha llegado a matarme¡» ¿Lo ve? ¿Luego intentaba matarle? Pues bien, en ese caso es igual que si le hubiera matado. El crimen y la tentativa están castigados con la misma pena. ¡La horca!

CROCK. —¡Si el que intentaba matar era yo!

VIGILANTE. *(Al* AMIGO.*)* —No crea usted que siempre se encuentra uno con una víctima tan bondadosa. A

pesar de su intento, trata todavía de defenderle. ¿Por qué trata de defenderle?
CROCK. —No trato de defenderle. Trato de explicarle que...
VIGILANTE. —¡Bah! Es igual. No servirá de nada. Ahora voy a consultar con el Jefe. En cuanto me dé órdenes concretas volveré a buscarlos. ¡Ah! ¡Y procuren no moverse!
CROCK. —¡Si no podemos! *(Señala las esposas.)*
VIGILANTE. —¡Es la fórmula! *(Sale.)*

(Un silencio.)

CROCK. —Yo no quiero que te pase nada.
AMIGO. —Ya lo sé, Crock; no te apures.

(Un silencio.)

CROCK. —¡Ojalá me ahorcasen a mí!
AMIGO. —No. Piensa en los chicos. Te necesitan. Tienes que encontrar trabajo.

(Otro silencio.)

CROCK. —Nunca encontraré trabajo. Mañana ire al pueblo y no podré llevar ni una peseta.
AMIGO. *(Lentamente. Pensativo.)* —Yo tengo una solución... No sacarás mucho, pero de momento te resolverá y podrás llevar algo a tu casa.
CROCK. —¿Sí? *(Iluminado.)* ¿Qué hay que hacer?
AMIGO. *(Después de mirar con miedo a todas partes.)* —Escucha.

(Se acerca a CROCK *y le dice algo al oído.)*

CROCK. —¿Y dónde hay que ir?
AMIGO. —¡Pscht! No grites. Pueden oírnos. *(Le dice las señas al oído.)*
CROCK. —¡Iré! Es una tremenda solución, pero es una solución. Todas las soluciones son tremendas. Gracias... *(Poniéndose triste.)* Pero lo que ahora corre más

prisa es lo tuyo. ¡Estás en peligro! ¡Y por culpa mía! Tenemos que hacer algo para demostrar tu inocencia.

AMIGO. *(Escéptico.)* —¿Qué?

CROCK. —Explicar detenidamente el caso.

AMIGO. —¿Qué has conseguido tú explicando detenidamente tu caso?

(Largo silencio.)

CROCK. —No es posible.

AMIGO. —Sí.

CROCK. —Te... *(Ademán de cortar la cabeza.)*

AMIGO. —Sí.

CROCK. —¿No te da miedo?

AMIGO. —Hay cosas peores.

CROCK. —Tienes razón. *(Súbitamente irritado.)* ¡Pero no es justo! ¡Toda la culpa es mía! ¡Si hay que ahorcar a alguien, que me ahorquen a mí! ¡La culpa es mía!

AMIGO. —La culpa no es tuya ni mía.

CROCK. —Entonces, ¿de quién es?

AMIGO. —¡Cualquiera sabe!

(Largo silencio.)
(Aparece el VIGILANTE.*)*

VIGILANTE. —¡Clarísimo! ¡Un caso clarísimo! No, si cuando yo me equivoque... *(Suelta a* CROCK.*)* Está usted libre. El Vigilante Jefe le felicita por tener un corazón tan grande y saber perdonar las ofensas. Pero me ha ordenado que le recomiende no entorpecer la acción de la Justicia en lo sucesivo. *(Toma al* AMIGO *por el brazo y hace ademán de salir.)* Vamos, tú te vienes conmigo. La Justicia te espera.

CROCK. —Por favor, señor Vigilante, escúcheme un momento. No se vaya todavía. Mi amigo no es un criminal. Es un buen hombre, no ha hecho mal a nadie. ¡He sido yo! El estaba aquí. Hasta quería impedirme que...

VIGILANTE. —Si no se calla me lo llevaré también a usted y haré que lo encierren en un manicomio para siempre; ¿se entera?

CROCK. —Pues lléveme a mí también. Y ahórquenme con él. Por lo menos, eso saldré ganando de todos estos jaleos que no me puedo explicar. *(Al* AMIGO.*)* Sí, quiero irme contigo; es mi obligación. ¡Eres mi amigo, mi amigo, sí!

AMIGO. —Piensa en los chicos... Estarán en el pueblo esperándote para que los lleves a ver pasar el tren.

CROCK. *(Sollozando.)* —¿Por qué todo se tiene que acabar así?

AMIGO. —Acaso no se acabe, Crock.

VIGILANTE. —¿Qué tonterías están diciendo?

AMIGO. —Adiós, Crock; hasta la vista.

CROCK. —Pero...

AMIGO. —Adiós.

CROCK. —Pediré justicia.

AMIGO. —No pidas... Acuerdate de mí. No me compraron la pelota. Adiós.

VIGILANTE. —¡En marcha!

CROCK. —Espere... No puede...

AMIGO. —Adiós, Crock.

(CROCK *baja la cabeza, consternado.)*

CROCK. —Adiós.

(El VIGILANTE *empuja fuera de escena al* AMIGO.*)*

AMIGO. *(Antes de salir.)* —Piensa en los chicos, piensa en los chicos...

(Salen los dos.)

CROCK. —¡Esto es una barbaridad! ¡Una tremenda barbaridad! Tú eres inocente. Eres mi amigo. ¿Por qué me tengo que quedar también sin mi amigo? ¿Por qué no nos pueden dejar en paz? ¿Por qué hay tanta injusticia? *(Habla cada vez más alto. Se supone que los otros se van alejando lentamente. Gritando:)* ¡Eh! ¡Espere, señor Vigilante! No puede llevárselo así. ¡No tiene ningún derecho! ¡Hay que escuchar a la gente! ¡La culpa es mía! ¡Completamente mía! ¡Sólo mía! *(Pasea, furioso, por la escena. De pronto estalla en un violentísimo llanto. Llora desesperadamente. Se deja caer de bruces sobre el banco y llora un momento con la cabeza entre las manos. Luego, comienza una lenta transición, en la que su expresión va tomando un aire entre asombrado y enloquecido. Termina rompiendo a reir suavemente, para estallar poco después en estruendosas, estridentes y desagradables carcajadas.)* ¡Qué barbaridad! ¡Parece mentira! ¡Que barbaridad! ¡Esto es graciosísimo! ¡Es para morirse de risa! ¡Es el colmo! ¡Parece mentira! ¡Se lo han llevado sin tener ninguna culpa! *(A gritos.)* ¡Eh, espere! ¡Es inocente! ¡El inocente más inocente del mundo! *(Ríe estrepitosamente, hasta soltársele las lágrimas.)* ¡Qué barbaridad! *(Las lágrimas nacidas de las carcajadas van fluyendo cada vez con más tristeza. Hasta que, por fin, el llanto se apodera de* CROCK *nuevamente. Murmura, completamente asombrado):* ¡Qué barbaridad! ¡Qué barbaridad! ¡Qué barbaridad!...

(Mueve la cabeza mientras repite siempre lo mismo, como una letanía, entre sollozos. A la vez, se deja caer pesadamente sobre el banco. Aparece el VIGILANTE, *que le mira fijamente.)*

VIGILANTE. —Parece usted tonto.

OSCURO

CUADRO CUARTO

Alcoba del matrimonio CROCK, *en la casa de la suegra, en el pueblo. Una cama vieja de latón, cubierta por una sucia colcha y una mesita de madera, destartalada. Una silla con alguna ropa. Cuelga del techo un marco de ventana.*

(Sentada sobre la cama, cose FRIDA. *Hay un silencio. Entra* CROCK. *Viste su pijama de rayas horizontales. Trae la bicicleta, que dejará apoyada a los pies de la cama. Viene tosiendo, muy fatigado.)*

FRIDA. —¿Qué haces aquí? No te esperaba hoy.
CROCK. —Siempre es una buena sorpresa, ¿no?
FRIDA. *(Agitada.)* —Pues sí. *(Mirándolo con recelo.)* ¿No tenías oficina?
CROCK. —No.
FRIDA. —¿Y mañana?
CROCK. —Tampoco.
FRIDA. —¿Qué fiesta es mañana?
CROCK. —No es fiesta. Ya no tengo que volver a la oficina.
FRIDA. —¿Te han dado permiso?
CROCK. —No.
FRIDA. —¿Te... te han echado?
CROCK. —Sí.
FRIDA. *(Fuera de sí.)* —¡Es lo último!
CROCK. —Sí, es lo último. Bueno, no. Lo último no es eso. Ha habido un error... Han colgado a mi amigo.
FRIDA. —¡Todos debíais estar colgados!
CROCK. —Mujer...
FRIDA. —Colgados, sí. Hasta los chicos debían estar colgados.
CROCK. —¿También los chicos?
FRIDA. —¡También! ¿Sabes lo que han hecho hoy?
CROCK. —¿Qué?
FRIDA. —Han apedreado al maestro.
CROCK. —¿Por qué?
FRIDA. —No sé, no sé, no sé.
CROCK. —Hablaré mañana con ellos.
FRIDA. —¡Nada de hablar! Tienes que castigarlos.
CROCK. —Bueno. *(Pensativo.)* No está nada bien apedrear al maestro. ¿Tú cómo te has enterado?
FRIDA. *(Turbada.)* —Vino anoche el maestro a tomar café y me lo dijo.
CROCK. —Estos chicos están sin civilizar. Hay que llevarlos cuanto antes a la ciudad. Allí se educarán y se harán

unos hombres de pro. ¿Qué querrá decir eso de «pro»?

FRIDA. —¡Yo qué sé! Lo único que sé es que no conseguirás que sean algo más que tú. ¿Y en qué se han fundado para echarte? (CROCK *no responde. Le da un papel. El oficio en que le notificaron el cese. Después de leer.)* ¿Y quién te manda fumar mientras trabajas?

CROCK. —Sólo fue un pitillo. Aquel día estaba contento.

FRIDA. —¿Y quién te manda estar contento?

CROCK. —Sólo fue un día.

FRIDA. —Cuando se tiene familia a la espalda no se puede estar contento ni un solo día. *(Largo y penoso silencio.)* ¿Cómo piensas que vivamos?

CROCK. —No sé.

FRIDA. —No pensarás cruzarte de brazos. Tendrás que buscar otro empleo.

CROCK. —Sería inútil. Pedirán informes.

FRIDA. —Tú no has hecho nada malo.

CROCK. *(En tono más alto.)* —Pedirán informes, Frida.

FRIDA. —Que los pidan. Nadie puede decir que eres un ladrón.

CROCK. *(Fuera de sí.)* —No entiendes nada. ¡Eres muy bruta! Pe-di-rán in-for-mes, ¿entiendes? *(La otra niega.)* No, no lo entiendes, pero es igual. *(Como un lamento.)* Pedirán informes. *(Se sienta; respira fatigado.)*

(Se oye lejos la campana de una iglesia.)

FRIDA. —¿Qué hora es?

CROCK. —Alrededor de las once y media.

FRIDA. —¿Las once y media ya? *(Está agitada.)*

CROCK. —Poco más o menos.

FRIDA. *(Paseando nerviosa.)* —Ya es hora de acostarse.

CROCK. —Sí, ya es tarde. Y estoy muy cansado. *(Haciendo ademán de meterse en la cama.)* Cada día me canso más.

FRIDA. —¿Qué vas a hacer?

CROCK. —Acostarme.

FRIDA. —¡Ni hablar! Si quieres acostarte, vete al pajar. ¿Qué te has creído? ¿Que se puede venir a dormir tranquilamente a casa sin tener un empleo?

CROCK. —Los cesantes también duermen.

FRIDA. —Los cesantes, puede. Tú, no. *(Autoritaria.)* ¡Al pajar!

CROCK. —Está bien... *(Se encamina hacia la puerta con paso cansado.)* ¡Ah!, no me acordaba ya. *(Se para. Saca las medias del bolsillo y unos paquetes de caramelos y algunas monedas.)* Toma... Son unos caramelos. Para los chicos. Y estas medias, para ti, para que vayas elegante a misa el domingo. Me gusta que vayas bien. Creo que con este dinero podrás arreglarte de momento. (FRIDA *está perpleja.)* Venía tan cansado, que ni me acordaba... Me canso cada vez más. *(Respirando hondo.)* ¡Qué bien se está aquí! No hay casas altas. Se puede ver el cielo a cualquier hora.

FRIDA. —¿De dónde lo has sacado?

CROCK. —¿Qué?

FRIDA. —Esto... ¡El dinero! ¿Te han dado un anticipo?

CROCK. —¡Eso! Un anticipo! Sí, un anticipo. Todo es un anticipo. El olor del pueblo, cuando se entra por las eras, es un anticipo de paz. Huele a campo, a leña quemada y a moñigos... ¡Qué bien huele! *(Acercándose a la ventana y mirando fijamente.)*

FRIDA. —¿De dónde lo has sacado?

CROCK. —¡Déjame en paz! Me gusta estar en paz.

FRIDA. —¡No lo habrás robado!

CROCK. —Pero ¿qué estás diciendo? Robar, ¿qué? ¿La paz? Si se pudiera robar, yo la robaba...

FRIDA. —¡Qué paz ni qué demonios! Digo el dinero. ¿De dónde diablos los has sacado? ¡Dilo ya de una vez!

CROCK. *(Dejándose caer a los pies de la cama.)* —Es muy fácil. Hay que ir a la Facultad de Medicina. Allí preguntas por el Instituto Anatómico. Te señalan una puerta y entras. Dentro hay poca cosa... Unas mesas de mármol inclinadas y un par de hombres con caras extrañas que se dedican a inyectar formo en los muertos y a guardarlos en los armarios. Les dices que quieres venderte; te miran, te remiran el cuerpo, te palpan los brazos y las piernas, te miden el cráneo y luego te hacen firmar un papel en el que dices que cuando te mueras tu cuerpo les pertenece. Me han dado ochocientas... Yo he regateado, sabes, pero ¡nada! Aquellos hombres eran como cuervos. Por lo visto, los hombres no les interesan. Sólo los muertos. Me han dicho que compran estas cosas para que puedan estudiar los muchachos. Los estudiantes lo aprovechan bien: lo hacen todo cachitos y muy pequeños. *(Con rabia.)* Me gustaría entregarme a ellos hecho cachitos. Sería mi única posibilidad de venganza. ¡Me cobraría tantas cosas!... *(Pausa.)* ¡Bah! Hay que pensar otras cosas más alegres. Te aseguro que me gustaría pensar en cosas más alegres; pero ¿cómo, cómo? No se me ocurre nada. Pienso en el chico que estudie en mis brazos y mis piernas. Por lo visto, hay muchos chicos que estudian y necesitan muchos cuerpos. El también pensará en mí. *(Preocupado.)* ¿O no pensará? No, eso, no. ¡Tiene que pensar! Jugar con la carne de un hombre, aunque huela a formol, es algo muy serio, ¿no te parece? *(Su mujer le mira atónita.)* He pensado que me voy a hacer un tatuaje con mi nombre para que cuando me saquen del armario donde me tengan archivado y me entreguen al estudiante que me corresponda... Bueno, el caso es que no sé si debo decir «el estudiante que me corresponda» o «el estudiante al que yo corresponda»; pero es igual. El caso es que así, antes de empezar a desguazarme, sabrá cómo me llamo y llamará a mis brazos y a mis piernas por mi nombre. ¡Es horrible que le confundan a uno! ¡Sí, horrible, horrible!...

(Queda con los codos apoyados en las rodillas, las manos caídas y la vista perdida acaso en la disección de su cuerpo. FRIDA *se acerca y le acaricia la cabeza.)*

FRIDA. —Crock... *(No contesta.)* ¡Pobre Crock! Yo creí que a ti no te importaban más que los amigotes y estar todo el día tumbado. ¿Por qué lo has hecho? Tu cuerpo es tuyo... ¡No puede ser de nadie por ochocientas ni por ochocientos millones! *(Se sienta a su lado y le besa.)* ¿Sabes que los chicos se van a llevar una alegría mañana cuando te vean? Siempre están preguntando por tí.

CROCK. —No me gustaría que estudiasen Medicina. Sería desagradable...

FRIDA. —No pienses tonterías, hombre. Podran estudiar Medicina. Conseguiremos dinero para devolverles sus ochocientas y que te devuelvan tu cuerpo.
CROCK. —No, eso, no. Todo lo que se consigna hay que guardarlo para ellos. No quiero que les pase como a mí. Quiero que estudien. Es mi obligación... Estudiarán, Frida; tienen que estudiar.
FRIDA. —Bueno, hombre, no te excites. Estudiarán.
CROCK. —Sí; no hay más remedio. No podemos exponernos a que sean como yo. Quiero que los respeten. Quiero que puedan sonreír. Quiero que no les puedan aplastar los hombres. Quiero que...
FRIDA. *(Cortándole.)* —Bueno, lo que tú quieras. Ahora debes acostarte. Estás muy cansado. (CROCK *se levanta y se marcha hacia el lateral con andar cansado.)* ¿Dónde vas ahora?
CROCK. —Al pajar.
FRIDA. —No, hombre, aquí.

(CROCK *vuelve y empieza a desnudarse. Su mujer le ayuda a quitarse los zapatos. Cuando va a meterse en la cama se oyen unos golpes.)*

CROCK. —¿Qué es eso?
FRIDA. *(Turbada.)* —No sé.
CROCK. —¿No has oído como unos golpes?
FRIDA. —No.
CROCK. —Pues juraría que eran unos golpes.
FRIDA. *(Nerviosísima.)* —No; no creo.

(Vuelven a oírse los golpes.)

CROCK. —Y ahora, ¿no has oído? ¿Habrán llamado?
FRIDA. —No. Será alguna rata. Por las noches arman mucho jaleo en el desván.

(CROCK *se mete en la cama del todo y se acomoda. Ella le tapa bien, aunque parece estar más pendiente de que ocurra algo que de lo que está haciendo. Se oye estrépito de cristales rotos.* FRIDA *co-*

rre hacia el lateral. Cuando casi va a hacer mutis aparece el MAESTRO. *Es, efectivamente, joven y fuerte. Trae un queso y una hogaza.)*

MAESTRO. *(Fastidiado.)* —¿No me oías? Por poco tiro la puerta. Me he tenido que colar por la ventana. *(Le da el queso y el pan. Ella lo rechaza.)* ¡Vamos, tómalo, mujer! (FRIDA *le hace gestos paara que repare en su marido.)* ¿Quién es este hombre?

FRIDA. —¡Mi marido!

MAESTRO. —¡Ah!... Encantado. *(Le tiende la mano.)* Yo soy el Maestro.

FRIDA. *(Nerviosísima, a su marido.)* —¿Verdad que es alto y fuerte?

CROCK. —Sí; es alto y fuerte.

MAESTRO. —Bueno, pues... *(Se muestra muy inquieto.)*

CROCK. —¿Viene por algo de los chicos?

MAESTRO. —Exactamente, no.

CROCK. —Entonces...

MAESTRO. —Pasaba por ahí... y vi luz... Creí que estaría sola Frida y...

CROCK. —¿A que viene este hombre?

FRIDA. —Lo sabes muy bien. *(Gritando. Ante el silencio y la mirada helada de su marido.)* ¡Qué quieres, Crock; no soy de piedra!

CROCK. —Pero no te dije que...

FRIDA. —También te he dicho yo mil veces que me tenías abandonada.

CROCK. —¿Qué podía hacer? ¿Dejarlo todo para venirme?

FRIDA. —Puede que hubiera sido lo mejor.

CROCK. —También puede que lo mejor haya sido esto. Así no me queda nada por sentir. ¡Ni el asco!

MAESTRO. *(Al ver que la discusión sube de tono. Muy suave.)*— Bueno, discúlpenme la molestia. Si hubiera sabido... que iba a importunarles, no habría entrado. Pero por mí no se apuren. Yo me marcho y asunto concluido.

FRIDA. —¡Tú te quedas! ¿No decías que te ibas a reír de él en sus narices? Pues ahí está. ¡Ríete si te atreves!

MAESTRO. —¡Por Dios, Frida! ¡Dios me libre! *(A* CROCK.*)* Yo soy muy respetuoso.

FRIDA. —¡Hipócrita! ¡No mientas!

MAESTRO. —Es cierto que algunas veces me he reído de alguna cosa de usted que ha contado ella. De las bofetadas que le pega a usted, de lo ridículo que resulta verle en la «bici» subiendo la cuesta del empalme... Pero, vamos, nada más, se lo aseguro. No la haga caso, señor Crock.

CROCK. —Crock a secas. Es mejor.

MAESTRO. —No le haga caso, señor Crock. ¡Perdón!, Crock. Yo no he hecho más que lo que hubiera hecho otro hombre en mi lugar. Está sola y está muy aparente. *(A* CROCK.*)* ¿Verdad, Crock, que está muy aparente?

CROCK. —Sí.

FRIDA. —Te has pasado mucho tiempo detrás de mí hasta que has conseguido la cita...

MAESTRO. —¡Porque en los pueblos se aburre uno y no se tiene nada que hacer!

FRIDA. —¿Oyes esto, Crock? *(Gesto de resignación de* CROCK.*)* ¡Tú eres un cínico!

MAESTRO. —No me levantes la voz, Frida, o tendré que darte un bofetón.

FRIDA. —¿Un bofetón? ¿Tú a mí un bofetón? ¡Ja, ja! ¡Hasta ahí podíamos llegar!

MAESTRO. —Pues no molestes. ¡Cállate!

FRIDA. —¡No me da la gana! ¡Sinvergüenza, cabrito, mal nacido! *(El* MAESTRO *le pega una bofetada. Ella queda un momento atónita. Luego se revuelve contra él. Forcejeando.)* ¿Qué te has creído? ¡Conmigo no se juega!

(CROCK *se interpone y los separa.)*

CROCK. —¡No arméis tanto jaleo, que vais a despertar a los chicos!

FRIDA. *(Jadeante.)* —¿Tú crees que hay derecho a que me insulte, a que me pegue?

CROCK. —¿Qué quieres que te diga, Frida? Eso es muy personal. A mí me parece que si el señor Maestro te ha pegado, sus motivos tendrá. Es un hombre de principios, tiene una carrera...

FRIDA. —¡Pegar a una mujer es de maricas!

MAESTRO. —No empieces..., no empieces...

CROCK. *(Enérgico.)* —¿Queréis callar? Si queréis discutir, esperad a mañana. Veréis todo con más claridad. *(Al* MAESTRO.*)* ¡Qué calor hace aquí! Me arde la cara. ¿Usted no siente calor?

MAESTRO. —No.

FRIDA. —¡Este fresco...!

CROCK. —¡Cállate!

FRIDA. —¡No quiero!

CROCK. —¡Necesito que me escuches!

FRIDA. —¡No quiero escucharte!

CROCK. —Necesitas muchas bofetadas aún. Creo que el señor Maestro te conviene. El sabrá ser buen arriero. Yo no sirvo para estas cosas. A mí lo que me gusta es pasear solo, tranquilo, con los chicos de la mano y contarles historias bonitas... Son muy pequeños. No deben aprender todavía las cosas malas de los hombres. ¡Cuando sean mayores! Cuando sean mayores... tendrán tiempo de sobra. *(Al* MAESTRO.*)* Son muy listos. Hay que procurar que estudien una carrera. No me gustaría que estudiasen Medicina. Sería una desagradable coincidencia que... *(Pensativo.)* ¡Claro que a mí me gustaría que fueran médicos! Es una hermosa profesión. Hacer el bien, quitar el dolor a los hombres, compartirlo con ellos... *(Como si súbitamente hubiera tomado una decisión.)* ¡Qué demonio! ¡Que sean médicos! Ya me encargaré yo de que no nos encontremos para entonces. Y además... *(Con un hilo de voz.)* Me burlaré de ellos. El dinero sólo pueden reclamármelo a mí. Y si yo para entonces estoy hecho cachitos... *(Ríe.)*

MAESTRO. —¿Qué dice?

FRIDA. —No le entiendo. *(A* CROCK, *que va hacia el foro.)* ¿Dónde vas, Crock?

CROCK. —A dar un beso a los chicos.

FRIDA. —Acuéstate. Ya los verás mañana.

CROCK. *(Como un lamento.)* —Mañana... *(Con amarga sonrisa.)* No hay mañana. No tengo sueño. Quiero dar un paseo por ahí enfrente. Me gusta pasear debajo del cielo limpio. Las ideas se aclaran y se le olvida a uno tanta porquería... *(Sale.)*

FRIDA. —¡Crock! ¡Crock!

(Intenta seguirle. El MAESTRO *la detiene.)*

MAESTRO. —Quiere dar un paseo. Déjale tranquilo.
FRIDA. —No, no quiere dar un paseo. *(Pausa.)* Pero será mejor... Quiere estar tranquilo. Necesita estar solo. En paz. Quiere respirar hondo. Pasear debajo del cielo limpio. Nunca se me había ocurrido pensar que pudiera ser bonito pasear sola por el campo una noche como esta. *(Sobresaltada.)* ¿Qué hora es?
MAESTRO. —La media noche.
FRIDA. —¡Las doce ya! *(Va a la ventana.)* Va camino de la estación, por la vía. Y está a punto de pasar el tren...
MAESTRO. —No pienses tonterías.
FRIDA. *(Gritando.)* —¡Apártate, Crock! ¡Va a pasar el tren! *(Al* MAESTRO.*)* ¡Sigue por la vía!... ¡Crock! ¡Crock! ¡Va a pasar el tren! ¡Apártate a un lado! *(Empieza a oírse un tren que se acerca.)* ¡Ese hombre está loco! *(Muy alto.)* ¡Los niños están durmiendo! ¡Cuando te vean mañana se pondrán muy contentos y te darán muchos besos! *(El ruido del tren se aproxima.)* ¡Los niños quieren verte! ¡Estaban deseando que vinieras para jugar contigo hasta cansarse!... *(El ruido del tren se hace ensordecedor. Parece que está pasando por el patio de butacas.)* ¡Crock! ¡Crock!

(FRIDA *lanza un grito, casi un alarido. Como si el grito hubiera sido una señal para que el tren se detuviera, se oye el chirrido de los frenos, el ruido de los vagones al golpear con los topes. Se hace un tremendo silencio.* FRIDA *y el* MAESTRO *se miran.)*

OSCURO

FANTASIA FINAL

Al iluminarse de nuevo la escena, sólo se ve la cámara oscura del escenario. En el centro, hecho un ovillo, en el suelo, y con una brecha en la frente, está CROCK. *Suavemente empieza a oirse una marcha fúnebre que servirá de fondo hasta que se indique.*

(Por uno de los laterales se oyen voces. Murmullo de gente que habla: «¡Hay que ver!» «¿Qué ha ocurrido?» «¡Es un hombre!» «¿Y está muerto?» «¿Y deja viuda?» «¿ Y deja hijos?» «¡Qué desgracia!», etc.

Por fin, aparecen todos los personajes que han intervenido en la farsa. Todos, menos el AMIGO *de* CROCK. *Parece como si fueran uniformados para un duelo. Todos visten de negro. Todos llevan maletines. Todos se acercan a* CROCK *y forman un corro a su alrededor.)*

DIRECTOR. —Parece que está muerto.
SEÑORA SLAMB. —¡Pobrecillo!
DIRECTOR. —Podríamos intentar ver si con la respiración artificial...
FRANK. —¡Yo tengo aquí una aspirina!
LIVI. —Debe ser del hígado. ¡Del hígado! Yo padezco del hígado. ¡Hay que darle unas pastillas para el hígado! ¡Yo tengo unas muy buenas!
SEÑORA SLAMB. —Una cataplasma es lo mejor. Una cataplasma. Van muy bien las cataplasmas.
NEGOCIANTE. —Hay que ponerle esparadrapo en esa herida. Y darle vitaminas. Muchas vitaminas.
LOS TRES EMPLEADOS. —¡Un pitillo! ¡Le sentará muy bien un pitillo!
MAESTRO. —¿No será del corazón? Pónganle cardiazol.
FRIDA. —¡Dios mío! ¡Pobre hombre!
SECRETARIA. —¡Y es bastante majo!
SEÑORA SLAMB. —¡Deja hijos!
NEGOCIANTE. —¡Todos dejan hijos!

CONSERJE. —Hay que animarle. ¡Yo tengo aquí una hogaza!
NEGOCIANTE. —¡Esparadrapo!
SECRETARIA. —¡Qué majo!
LOS TRES. —¡Un pitillo!
CONSERJE. —¡Pan!
LIVI. —¡Pastillas!
SEÑORA SLAMB. —¡Cataplasma!
FRANK. —¡Aspirina!
MAESTRO. —¡Cardiazol!
DIRECTOR. —¡Oxígeno!
VIGILANTE. —¡Aire, aire!
FRIDA. —¡Dios mío! ¡Pobre hombre!

(Todos lo dicen casi a la vez, mientras echan sobre el cuerpo de CROCK *lo que dicen: pan, aspirina, etc.)*
(Largo silencio. Por el lateral contrario al que han entrado todos aparece el AMIGO. *Los demás no reparan en él. Se queda inmóvil en segundo término.)*

VOZ. *(Fuera de escena. Después de un toque de silbato.)*—¡Viajeros al tren!
DIRECTOR. —Tenemos que socorrer a este hombre. ¡Hay que ser humanitarios!
TODOS. —¡Hay que ser humanitarios!
VOZ. *(Después de un toque de silbato.)* —¡Viajeros al tren!
DIRECTOR. —Tenemos que ayudarle. ¡Es un caso de conciencia!
TODOS. —¡Es un caso de conciencia!
VOZ. *(Después de un toque de silbato.)* —¡Viajeros al tren!
DIRECTOR. —No podemos dejarle así. ¡Nos necesita!
TODOS. —¡Nos necesita, nos necesita, nos necesita!
VOZ. *(Después de tres toques de silbato.)* —¡Viajeros al tren!
AMIGO. —Vamos, señores. Van a perder el tren. Dense prisa.
TODOS. *(Por* CROCK.*)* —¡Nos necesita!
AMIGO. —Dejen en paz a ese hombre. Está muerto.
DIRECTOR. —¿Y usted cómo lo sabe?
AMIGO. —Lo estoy viendo. El tren le ha dado un golpe en la cabeza.

DIRECTOR. —¿Cómo no habrá oído el tren?
TODOS. *(Siempre como una letanía.)* —¡Cómo no habrá oído el tren!
DIRECTOR. —¡Iría distraído!
TODOS. —¡Iría distraído!
DIRECTOR. —¡Iría pensando en tonterías!
TODOS. —¡Iría pensando en tonterías!
DIRECTOR. —¡Que Dios le perdone!
TODOS. —¡Que Dios le perdone!
VOZ. *(Después de furiosos toques de silbato.)* —¡Viajeros al tren! *(Todos asienten. Empiezan a salir, después de santiguarse.)*
DIRECTOR. —¿Usted no viene?
AMIGO. —No. Me quedo. Ya he llegado.

(Sale. Los últimos en salir son los tres empleados, que encienden una vela, la colocan sobre la cabeza de CROCK *y se van.)*

LOS TRES. *(Cantando.)*—

¡Viva la vida,
alegre y divertida!

(El AMIGO *los ve alejarse. Se acerca luego a* CROCK *y pega una patada a la vela. Cesa la música.)*

AMIGO. —Crock..., Crock..., ¡soy yo! (CROCK *se incorpora. El* AMIGO *le ayuda.)* ¿Te has fijado qué noche tan bonita?
CROCK. —¡Mira aquellas estrellas!... ¡Mira, mira allí, hacia la era!... *(Se oye de nuevo el silbido del tren. Ruido de cadenas que se tensan, chirridos. El tren se pone en marcha y se va alejando.)* ¡Está saliendo la luna! ¿Qué es aquello?
AMIGO. —El tren de los viajeros.
CROCK. —¿Qué tren?
AMIGO. —Uno cualquiera. ¡Qué más da!
CROCK. —¡Es verdad! ¡Qué más da! ¿Quieres que demos un paseo?

AMIGO. —Vamos. ¿Hacia dónde?
CROCK. —Es igual. Ya no tenemos prisa. *(Pausa.)* ¿Qué es eso?
AMIGO. —¡El mar! ¿Vamos?
CROCK. —Vamos.

(Se miran. Hay una pausa y empiezan a reírse. Sus risas van subiendo de tono. Empieza a oírse rumor de olas. Se cogen del brazo y, cuando van a salir, cae muy de prisa el

TELON

MISERERE
PARA MEDIO FRAILE

MISERERE PARA MEDIO FRAILE

(Boceto de homenaje al poeta San Juan de la Cruz)

Dedicatoria:
A JAVIER CALVO

PERSONAJES

Fray Juan
Visitador
Prior
Fraile anciano
Cronista 1.º
Cronista 2.º
Varios frailes

Época de guerra entre hermanos. Lugar: España, como siempre

ACTO UNICO

(La escena está desnuda. Una cámara limita el escenario. En el centro de la escena hay un practicable no muy alto, sobre el que vemos tres mesas alargadas y colocadas en forma de U, con la abertura hacia el espectador. Tras estas mesas habrá severos bancos de madera. A ambos lados del escenario, pegados a los laterales, para que no dificulten la completa visión del escenario, habrá dos plintos de medio metro de altura. Sobre los plintos, sentados en severos asientos, hay dos frailes largos, pálidos, flacos, imponentes, que parecen recién escapados de un cuadro de El Greco, aunque el pintor por aquellas fechas anduviera por los treinta años y no hubiera pintado todo lo que nos dejó como herencia. Sin embargo, es la época de El Greco, la época en que el Santo Oficio resplandecía en Castilla, la época en que nacieron y vivieron héroes, poetas, santos y nobles artesanos. Los dos frailes, a quienes desde ahora llamaremos Cronista 1.º y Cronista 2.º, visten hábitos marrones. El primero, con gran capilla sobre los hombros, que cae hasta sus codos, y larga capa que llega hasta sus pies calzados con imponentes botas. El segundo, con capilla que apenas llega hasta los hombros, capa hasta media pierna y calzado con unas ligeras sandalias que dejan prácticamente sus pies al descubierto. Ambos lucen en su cabeza un hermoso cerquillo que, a manera de enorme tonsura, deja buena parte de su cráneo pelado. Todos los frailes que intervienen en la acción visten hábitos como el del Cronista 1.º, excepto Fray Juan, que viste el mismo hábito que el Cronista 2.º.

En el momento de alzarse el telón, la escena está vacía. Sólo vemos a los dos frailes sentados en sus plintos, inmóviles y ocres como estatuas de barro. Fuera de escena, no demasiado lejanos, se oyen cánticos conventuales. Al cabo de un momento, los dos frailes que hay en escena se ponen de pie. Se miran, se hacen una reverencia, miran al público y repiten la reverencia. Después quedan rígidos, de cara al público, en pie. Se mantendrán en esta actitud de rigidez, y cuando terminen de decir sus parlamentos, volverán a sentarse con un movimiento siempre ligero, casi fantasmal.)

CRONISTA 2.º —¡Corrían otros tiempos!
CRONISTA 1.º —¡Tiempos de odio!
CRONISTA 2.º —¡Tiempos de reforma!
CRONISTA 1.º —¡Tiempos de contrarreforma!
LOS DOS. *(Como un lamento.)* —¡Tiempos de guerra!

(Un silencio.)

CRONISTA 1.º *(En tono más bajo.)* —¡Eran los tiempos de la guerra a muerte!
CRONISTA 2.º —Las bestias se devoraban...
CRONISTA 1.º —Y los pájaros...
CRONISTA 2.º —Y los insectos...
CRONISTA 1.º —Y las bacterias...
CRONISTA 2.º —Y los hombres...
LOS DOS *(Como un lamento.)* ¡—Los hermanos...!
CRONISTA 1.º *(Santiguándose.)* —Dios nos perdone...
CRONISTA 2.º —Amén. *(Se santigua.)*

(Un silencio.)

CRONISTA 2.º *(En tono más bajo.)* —En aquel tiempo era necesaria una reforma...
CRONISTA 1.º —¡Temed a las reformas, hermanos! Las reformas son una plaga perniciosa...
CRONISTA 2.º *(Alegremente.)* —¡El universo cambia! ¡Cada generación de hombres es más alta!

CRONISTA 1.º —¡Temed el crecimiento! ¡Temedlo, hermanos míos! Seamos pequeños y carguemos sobre nuestras espaldas la miseria.
CRONISTA 2.º —¡Sed grandes! ¡Creced! ¡Creced como la mies! ¡Más cada día!
CRONISTA 1.º —La torre de Babel quiso crecer... ¡Crecer es la soberbia, la vanidad, el pecado...!
CRONISTA 2.º —¡Creced y multiplicaos!
CRONISTA 1.º —No permitas, Señor, que crezca nuestra miseria...

(Los dos frailes se miran de nuevo, cambian un nuevo saludo y vuelven a hablar al público.)

CRONISTA 2.º —En aquel tiempo se cometían muchos errores.
CRONISTA 1.º —Errores humanos.
LOS DOS *(Como recitando un salmo.)* —Errores que ahora hemos superado.

(Los dos se inclinan ante el público y se sientan. Los cánticos suben ligeramente de tono. Por la izquierda entra corriendo un fraile con hábitos raídos. Al cinto lleva un manojo de grandes llaves.)

PORTERO. —¡Ya llegan! ¡Ya llegan, hermanos! ¡Venid! ¡Venid! ¡Venid todos! ¡Mirad cómo le traen! ¡Maniatado! ¡Como un ladrón! ¡Como un salteador de caminos! ¡Como un hereje! ¡Como un blasfemo! ¡Como un judío! ¡Como un criminal!

(Fuera de escena han cesado los cánticos. Se oyen murmullos, como si el eco de las palabras dichas por el fraile portero se repitiera varias veces: «Hereje... Judío... Blasfemo... Criminal...» Luego se oye un murmullo general: «Loado sea Dios.» Por un lateral entran corriendo los frailes, con gesto de impaciente alegría. Mientras, por el lateral contrario, entran el Visitador general de la Orden, el Prior del convento y el Hermano Carcelero. Entre ellos viene un

hombre pequeño, vestido como el Cronista 2.º, maniatado y con el rostro pálido y sorprendido.)

UN FRAILE. —¡Ahí tenéis al hereje!
OTRO. —¡Muerte al hipócrita traidor!
VARIOS. —¡Muerte, sí, muerte!
UN FRAILE. —¡Judío!
OTRO. —¡Criminal!
OTRO. —¡Asesino!

(El Prior alza sus imponentes brazos de Prior con un gesto de paz y de sosiego.)

PRIOR. —¡Mesura y compostura!
UNO. —¡Es un reformador!
OTRO. —¡Muera el reformador!
PRIOR. —¡Calma, hijos míos! ¡Aquí le tenéis! ¡Es vuestro! ¡Rendirá cuentas ante vosotros! ¡Le aplicaremos la justicia! ¡Ved bien cómo es el frailecillo que pretende imponernos su reforma!

(Hace un gesto al Hermano Carcelero, que da un fuerte empellón al preso y le hace caer de bruces en el centro del grupo formado por los frailes. Los frailes se acercan y le miran como a un bicho.)

PRIOR. —Vedle despacio, para que os sirva de meditación y de escarmiento. *(Se vuelve hacia el imponente Visitador, más imponente que el propio Prior, puesto que ostenta un cargo de mayor autoridad.)* Reverendo Visitador General... *(Se inclina ante él.)* Todo será conforme a nuestra regla, a nuestras costumbres y hábitos...
VISITADOR. *(Hablando con voz campanuda y ligero acento portugués.)* —Sea, sea como desea el Prior del convento, hermanos míos... Nuestro momento es llegado... ¡Podéis hacer justicia! Estáis autorizados para dar escarmiento en este fraile a todo la reforma...
VARIOS. —¡Abajo! ¡Muera! ¡Muerte a la reforma!

(Los ánimos están enardecidos. Mientras gritan, los frailes alzan la mano con gesto amenazador.)

VISITADOR. —Tened paciencia, hermanos. Me place ver vuestra santa ansia de venganza, pero debemos encauzar nuestras pasiones. ¡Encaucemos nuestras pasiones por el camino de la venganza infinita!
TODOS. —¡Gracias! ¡Gracias a ti, benefactor de la Orden!
VISITADOR. —Morirá la reforma, pero no derramaremos ni una sola gota de sangre...

(Se acerca a él el Prior, que le dice algo al oído.)

VISITADOR. *(Después de asentir a lo que le han dicho.)* —Bueno, tal vez haya que verter alguna gota, pero será tan poca, que apenas manchará nuestras manos...
ALGUNOS. —¡Derramémosla!
OTROS. —¡Sí, no perdamos tiempo!
VISITADOR. —Calmaos, impetuosos y buenos hijos... ¡Ahora, el padre Prior os dirá lo que vamos a hacer con Fray Juan!

(Los murmullos de aprobación que acompañaban los parlamentos del Vistador se van calmando, hasta hacerse un silencio impresionante.)

PRIOR. —Muchas penalidades hemos sufrido por culpa de nuestros hermanos enemigos... ¡Ahora es llegado el momento de alzarnos nuevamente victoriosos!

(Los frailes asienten.)

PRIOR. *(Calmando a sus fieles hijos con un gesto de la mano.)* — Fray Juan es todo un símbolo... El símbolo de la rebeldía... ¡Miradle cómo calla! *(Todos le miran. Fray Juan, todavía en el suelo, alza la cabeza para luego dejarla caer con un gesto de desconsuelo.)* ¡Levántate, Fray Juan!

(Fray Juan se levanta. Muy lentamente. Cuando está en pie, deja resbalar su mirada por el grupo de frailes y queda mirando un momento al Visitador.)

PRIOR. —¡Baja tu mirada de pecador, soberbio!

(Fray Juan baja la vista.)

PRIOR. —¡Miradle cómo va vestido para darnos pena! ¡Con un sayal raído y con los pies casi descalzos! ¡Pero en esta casa jamás ha pisado un pie descalzo...! ¡Le calzaremos, le vestiremos nuestro hábito, que es el que debe llevar, y será juzgado por nosotros!

FRAY JUAN. —¿Vosotros vais a ser mis jueces?

PRIOR. —¡Sí!

FRAY JUAN. —¿Qué crimen es el mío?

PRIOR. —¡La reforma!

FRAY JUAN. —¡El Papa la permite!

PRIOR. —¡El Santo Padre ignora vuestras perversas intenciones!

FRAY JUAN. —¡El Santo Padre sabe bien qué pretendemos!

PRIOR. —¡Queréis acabar con nuestro poder!

FRAY JUAN. —Queremos sólo tener el nuestro.

PRIOR. —¡Queréis imponernos otra regla distinta!

FRAY JUAN. —¡Sólo queremos tenerla! ¡Tenerla nosotros, sin imponérosla!

PRIOR. *(Riendo.)* —¡Le oís! ¡Oídle bien, hijos míos! Es como aquel del cuento que llegó pidiendo una sopa de guijarros, y como la dueña no supiera hacerla, él se dispuso a condimentarla... Y a los guijarros añadió sal y agua y un poco de tocino, y un trozo de carnero y algunas alubias y dos o tres patatas..., ¡y cuando hubo hervido todo, sacó los guijarros y se comió la sopa!

(Grandes risas.)

FRAY JUAN. —¡Dios sabe que no!

PRIOR. —¡No invoques ese nombre, blasfemo! ¡Traed un hábito! ¡Un hábito nuestro! ¡Un hábito contrarreformador!

(Uno de los frailes se desprende del suyo. Es un fraile muy alto, de forma que cuando vistan el hábito al frailuco, éste parecerá embutido en un montón de trapos.)

FRAILE. *(Arrodillándose ante el Prior.)* —¡Toma mis hábitos! ¡Mis hábitos para ocultar los que lleva ese hombre!
PRIOR. —Y tú, ¿hermano?
FRAILE. —¡Qué más da! ¡Yo me haré otro! ¡O pasearé así por el convento! ¡Todo antes que ver esas ropas del fraile desertor!
PRIOR. —¡Bien dices, hijo! Ve a buscar ropas más honestas. ¡Le pondremos tus hábitos y luego le juzgaremos!

(El fraile que entregó su hábito sale de escena.)

PRIOR. —¡Tomad, hermanos! ¡Ponédselo!
FRAY JUAN. —¡Nadie me quitará estos pobres y queridos hábitos!
PRIOR. *(Autoritario.)* —¡Ponédselo! ¡Y si opone resistencia, utilizad la fuerza!
FRAY JUAN. —¡No podéis! ¡No podéis quitarme el hábito!
PRIOR. —¡Vamos! ¿Qué esperáis?

(Se hace un silencio impresionante. Fray Juan retrocede un paso. Los frailes le miran con expresión dura. Empieza a oírse una música estridente, moderna, concreta. Los frailes, haciendo movimientos bruscos, como exige la música, van aproximándose al pequeño fraile, que retrocede un paso. Los frailes se aproximan más a él. Fray Juan intenta huir, pero el fraile carcelero le sujeta por un brazo, por el cuello, por el alma. Los demás le rodean. Forcejean con él para quitarle la capilla y la capa y las sandalias. El fraile forcejea con fuerza sobrehumana para librarse de los otros. Pero ellos, no están dispuestos a dejarle. Luchan con él. Le derriban. Uno pone su rodilla en el pecho del frailecillo. Otros le van quitando las prendas. Y las sandalias. Luego le ponen las ropas del fraile grande. La música se va haciendo más estridente por momentos. Termina siendo una especie de alarido. Fray Juan, de rodillas, en el suelo, queda inmóvil, como deshecho y humillado.

Los frailes le contemplan y ríen.

Toda esta escena, muda; deberá montarse como una pantomina. Movimientos ágiles, rítmicos y en ciertos momentos estridentes.

Al iniciarse las risas, la luz del escenario se apaga. Sólo queda un foco iluminando la silueta de Fray Juan. Al oscurecerse el resto de la escena, los frailes van moviéndose como fantasmas hasta colocarse en las mesas que hay sobre el practicable. Los que no tengan sitio quedarán de pie, detrás de los bancos de las mesas laterales. En la mesa central se sentarán el Prior, el Visitador y otro fraile muy viejo. Quedarán inmóviles todos hasta que vuelva a iluminarse el escenario.)

CRONISTA 1.º —Así fue el principio.
CRONISTA 2.º —¡La reforma estaba a punto de sucumbir!
CRONISTA 1.º —Por nuestra obcecación.
CRONISTA 2.º —¡Pero Dios es Infinitamente Generoso!
CRONISTA 1.º —¡Y nos ha perdonado aquel error histórico!
CRONISTA 2.º —Así como nosotros perdonamos...
CRONISTA 1.º —A nuestros deudores.
CRONISTA 2.º —¡Amén!
CRONISTA 1.º —¡Amén!

(La luz que ilumina los plintos desciende hasta apagarse, mientras los dos Cronistas hacen una reverencia y vuelven a sentarse. La escena se ilumina.)

VISITADOR. *(Levantándose y hablando con voz autoritaria.)*— Formado el tribunal juzgador, va a ser leída al reo la intimidación de los actos del capítulo de Piacenza!
FRAY JUAN. —¿Y cómo vais a juzgarme vosotros? ¿Podéis ser jueces y parte?
VISITADOR. —¡Podemos hacer todo cuando se trata de mantener los principios inamovibles de nuestra regla!
FRAY JUAN. —¡Tendréis que responder de ello!
VISITADOR. —¿Donde?
VISITADOR. —¡Sólo han de temer el Juicio Final aquellos que han pretendido la reforma! ¡Y calle el reo! ¡Leedle la intimidación...!

(El Prior toma un pergamino y lo desenrolla. Lee con voz fuerte, no tan grave como la del Visitador, para demostrar así su sumisión a la autoridad del otro. Empieza a oírse una música enérgica. La música se oye tan fuerte, que al principio no oímos las palabras del Prior. Sólo le vemos gesticular y mover los labios. La música desciende en el momento en que el Prior empieza a decir:)

PRIOR. *(Leyendo y accionando.)* —Y porque hay algunos desobedientes, rebeldes y contumaces, llamados vulgarmente Descalzos, los cuales, en contra de las patentes y de los estatutos del prior general, han vivido y viven fuera de la provincia de Castilla la Vieja, en Granada, Sevilla y cerca del pueblecito llamado la Peñuela... y no quisieron, excusándose con falacias, cabilaciones y tergiversaciones, aceptar humildemente los mandatos...

(Sube la música y él acciona y mueve los labios unos breves momentos. La música vuelve a bajar.)

PRIOR. *(Leyendo.)* —... Se les intimará, bajo penas y censuras apostólicas, incluso, si fuese preciso, invocando la ayuda del brazo secular, y si se resisten, se les castigue gravemente...

(Vuelve a subir la música. El Prior habla sin ser oído y acciona unos instantes. La música y su lectura terminarán simultáneamente. El Prior, al terminar, se sienta de nuevo.)

VISITADOR. —¿Te das por enterado, Fray Juan?
FRAY JUAN. —Sí.
VISITADOR. —¡En este acto de justicia vamos a cumplir la orden que hemos recibido! ¡Contesta a las preguntas del venerable hermano!
FRAILE ANCIANO. —¿Por qué te has alzado contra nuestra autoridad?
FRAY JUAN. —¡Jamás lo he hecho!
FRAILE ANCIANO. —Has desobedecido, Fray Juan.

FRAY JUAN. —¡Soy sumiso y obediente!
PRIOR. —¡Mentira!
VISITADOR. —¡Te hemos detenido por no acatar la regla!
FRAY JUAN. —¡La regla de mi Orden la he acatado!
VISITADOR. —¡Tu orden es la nuestra! ¡Y vosotros sois los sediciosos!
FRAY JUAN. —Roma nos autoriza.
VISITADOR. —¿Y qué sabe Roma de vuestras intenciones? ¿No habéis fundado conventos a espaldas de la autoridad eclesiástica?
FRAY JUAN. —¡Nada tengo que ver con esas fundaciones!
VISITADOR. *(A los frailes.)* —¿Le oís? ¡Nada tiene que ver! ¡Nada tiene que ver! Pues yo te digo, frailecillo traidor, que aunque fueran ciertas tus palabras y nada tuvieras que ver, la misma pena tienes que los culpables...
FRAY JUAN. —¿Y cuál sería mi culpa? *(Lo pregunta serenamente, sin ningún tono de desafío.)*
VISITADOR. —Pues tu culpa..., tu culpa es..., bien lo sabes tú... Y yo te diré que..., que esa culpa te la va a señalar el propio padre Prior... *(Indica al Prior con un gesto que responda.)*
PRIOR. —Tu culpa es..., ya lo has oído... Bien claro te lo ha dicho nuestro Visitador... No hay más que hablar, Fray Juan... Ya sobran las palabras... Tú conoces tu culpa tan bien como nosotros la conocemos...
VISITADOR. *(Con tono hueco y campanudo.)* —Y hechas las acusaciones en regla por el padre Prior, yo, como Visitador general, te conmino... Fray Juan, ¿volverás de tu error?
FRAY JUAN. —¿Error? ¿Qué error he cometido?
VISITADOR. —Volverás de tu error, ¿sí o no? ¡Responde!
FRAY JUAN. —Si error ha sido comportarme con rectitud, con obediencia y amor a mis hermanos y a mi Padre..., ¡os digo que no volveré de él!
PRIOR. —¿No te retractarás?
FRAY JUAN. *(Dulce, mansamente.)* —¡No!
PRIOR. —¡Mira bien lo que dices!
VISITADOR. —Si no te retractas, nuestra mano justiciera caerá sobre ti. Piénsalo bien y responde.
FRAY JUAN. *(Siempre dulce y mansamente.)* —Lo he pensado...

PRIOR. —¿Y qué has decidido?

FRAY JUAN. —No daré un paso atrás.

VISITADOR. —Mirad la vanidad..., ¡la ridícula vanidad de este enano!

PRIOR. —¡Piensa que ya no os apoya el nuncio muerto! Piensa que el nuevo nuncio está de nuestra parte y no tolerará reformas...

FRAY JUAN. —¿Por qué os empeñáis en llamar reforma a lo que no es más que un regreso a la verdad..., a la sencillez, a lo que no es más que un deseo de eliminar lo que hay de superfluo y egoísta en nuestra Orden?

PRIOR. —¡Aquí preguntamos nosotros y tú eres quien responde de una vez! ¡Responde y ten en cuenta que si no acatas nuestra jerarquía y nuestra regla, serás apaleado!

(Murmullos de aprobación.)

FRAY JUAN. —Apaleadme cuanto queráis. Lo ofreceré para el bien de mis hermanos de la Orden, para el progreso de la regla...

VISITADOR. —¡Lo habéis oído! ¡Lo ha dicho! ¡Por fin lo ha dicho! ¡Progreso! ¡Ha dicho progreso! ¡Ya estás en nuestras manos! ¡Tú mismo te has condenado, fraile rebelde!

FRAY JUAN. —Y bien... Si así lo estimáis en justicia, ¿por qué demoráis la aplicación de la pena?

PRIOR. *(Alzando los ojos al cielo.)* —Señor..., tú eres testigo de esa malsana tozudez. Tú sabes bien que nosotros no queremos la guerra... *(Habla al oído, gesticulando ostesiblememte, al Visitador. Este asiente.)*

(El Visitador, luego habla al oído del Prior. También gesticula. Ahora es el Prior el que asiente.)

VISITADOR. —Hijo mío... *(Sale de su banco y se acerca a Fray Juan. Le pasa una mano por el hombro.)* ¿Por qué te muestras tan hostil?

FRAY JUAN. —Porque sé que mi camino es el verdadero... Porque vosotros habéis roto la puerta de mi casa, os habéis abalanzado sobre el lecho en que dormía y, maniatado y con la boca tapada, me habéis privado de la libertad.

VISITADOR. —Está dentro de nuestras atribuciones...

FRAY JUAN. —¡La libertad no hay atribución humana que pueda prohibirla!

VISITADOR. —¡El libertinaje, sí!

FRAY JUAN. —¡El libre albeldrío, no! Sólo Dios, oís, Dios, puede cercenarlo, y no lo hará para que sigamos siendo humanos...

VISITADOR. —Quiero pensar que tu obcecación es una santa obcecación... Y que pasado este momento volverás de tu error y comprenderás la beatitud de nuestras intenciones... Nosotros te queremos, frailecito; te amamos como hermano nuestro que eres... Y no deseamos hacerte daño... No, de verdad... Lo único que queremos es vivir en paz... Que todos reconozcan sus errores. Que los descarriados volváis al redil... Tú debes dar ejemplo, Fray Juan... Tú puedes hacer comprender a muchos sus errores si haces un público arrepentimiento...

FRAY JUAN. *(Con voz serena.)* —No puedo arrepentirme, reverendo Visitador...

VISITADOR. *(En tono muy convincente.)* —Claro que puedes, hijo... Todos podemos... Es cuestión de quererlo. Y tú, sin duda, lo querrás. Tú eres bueno. Tú eres, según dicen quienes te conocen bien, un santo.

FRAY JUAN.—Dios perdone a quienes dicen eso.

VISITADOR. *(Más alto y más convincente.)* —Un santo, sí. Y como santo que eres te tenemos...

FRAY JUAN. —Sin embargo, decíais hace poco...

VISITADOR. —¡Bah! ¡Bah! ¡Bah! Qué importa lo que dijéramos, hijo mío...

FRAY JUAN. —No puedo comprender que...

VISITADOR. —¡Recuerda la bienaventuranza! ¡Bienaventurados los ignorantes...! *(Transición.)* ¡No hace falta comprender! ¡El entendimiento lleva a la soberbia..., al pecado!

FRAY JUAN. *(Pensativo.)* —Tal vez...

VISITADOR. —Tu ejemplo será definitivo para volver el orden a la Orden, para volver la paz y la coexistencia.
FRAY JUAN. —¡Yo quisiera esa paz, reverendo Visitador..., pero sois vosotros los que no transigís!
VISITADOR. —¡Vamos, vamos, pequeño fraile santo! *(Le da unos golpecitos.)* Desciende de tu soberbia... Y si lo haces, tendrás un priorato y buena celda y buena biblioteca para que escribas versos de esos que tú escribes...
FRAY JUAN. —Gracias... *(Queda pensativo.)*
VISITADOR. —¿Aceptas, entonces?
FRAY JUAN. *(Seguro en sus palabras, aunque dichas con mucha mesura.)* —Gracias de nuevo, reverendo, pero no puedo. Sería renunciar a la verdad, a la Justicia.
VISITADOR. —¡Bah! ¡Bah! ¿Y qué es la justicia de los hombres? ¿Qué es la verdad?
FRAY JUAN. —Lo único noble de este mundo de miserias y mezquindades, reverendo.
VISITADOR. —¡No te obceques, Fray Juan! *(Hace un gesto al Prior, que sale de escena.)* No sueñes más bondad de la que hay en realidad entre los hombres... Los hombres somos malos, somos perversos y mezquinos, como tú dices, y su justicia y su verdad también lo son.
FRAY JUAN. —¿Y no es obligación nuestra hacerlos que mejoren?
VISITADOR. —Ves, hijo mío... Eso es soberbia también. Es querer coger la luna con la mano, es querer sentarse a la diestra del Padre...

(Entra el Prior de nuevo con una caja de madera. Entrega la caja al Visitador y vuelve a su sitio en la mesa central.)

VISITADOR. —¿Sabes qué es esto?
FRAY JUAN. —No.
VISITADOR. —Es un regalo para ti. Un presente de paz. Míra...

(Abre la caja y saca de ella un hermoso crucifijo de oro y piedras preciosas. Se lo tiende a Fray Juan.)

FRAY JUAN. *(Extrañado.)* —¿Para... mí?

VISITADOR. —¡Sí, para ti! Para tu mesa de trabajo. Para que inspire tus poemas y tus pensamientos... Es de oro... De oro y piedras preciosas.

FRAY JUAN. —Yo no puedo...

VISITADOR. —¡Acéptala, Fray Juan! ¡Acéptala como un símbolo de paz! ¡Es una hermosa joya!

FRAY JUAN. —Pero el que busca a Cristo desnudo, no ha menester joyas de oro...

VISITADOR. *(Irritado.)* —¡Qué dices, impenitente soberbio!

FRAY JUAN. —Que no lo acepto, reverendo.

VISITADOR. *(Amenazador, alzando la mano en la que tiene el crucifijo.)* —¡Mira lo que haces, Fray Juan! ¡Si no lo aceptas, serás juzgado duramente!

FRAY JUAN.—¿Y a qué esperáis para juzgarme?

VISITADOR. —¡Tú lo has querido! *(Vuelve apresuradamente a su sitio tras la mesa.)* ¡Todos vosotros, hermanos, sois testigos! Todos habéis escuchado las soberbias palabras de Fray Juan. Yo os pregunto: ¿Es preciso continuar el juicio?

(Murmullo de todos.)

VISITADOR. —No, no, claro que no. No es preciso. ¡Entonces, dictemos sentencia!

TODOS. —¡Sí, sí! ¡Sentencia!

VARIOS. —¡Condenación! ¡Condenación eterna para Fray Juan!

VISITADOR. *(Calmando a todos con el gesto.)* —¡Dictaré recta y justa sentencia contra ti, pecador!

UNO. —¡Empocémosle! ¡Que nadie sabrá de él! *(Asentimiento general.)*

OTRO. —¡Que no salga de prisión hasta que vaya a la sepultura! *(Asentimiento general.)*

VISITADOR. —¡Serás condenado a comer agua, pan y sardinas!

PRIOR. —¡Y a permanecer cerrado en una celda estrecha!

FRAILE ANCIANO. —¡En una celda que habilitaremos en el hueco que servía de excusado a la sala de los huéspedes!

PRIOR. —¡Sobre la letrina se extenderán las tablas de tu lecho!
VISITADOR. —¡Y no verás la luz hasta la muerte! *(Asentimiento general.)*
VISITADOR. *(Acallando los exaltados ánimos con su imponente gesto.)* —Y además...
VARIOS. —Hay un además...
OTROS. —¡Silencio! ¡Silencio! ¡Veamos cuál es el además!
VISITADOR. *(Ante el silencio impresionante de los demás, añade.)* —Serás despojado de la capilla y del escapulario. Sólo el sayal y la correa podrás llevar...
UNO. —¡Calvario!
OTRO. —¡Calvario para el fraile!
OTRO. —¡Calvario para el presidiario!
TODOS. —¡Calvario! ¡Calvario!
VISITADOR. —Y tres días a la semana ayunarás a pan y agua, conforme prescribe la constitución!
PRIOR. —¡Y recibirás la disciplina!
VISITADOR. —¡Disciplina circular, castigo señalado para los rebeldes!
TODOS. —¡Disciplina circular! ¡Suplicio! ¡Pagará! ¡Pagará con su sangre y con su hambre! ¡Pagará con su cuerpo!
PRIOR, VISITADOR Y FRAILE ANCIANO. *(A la vez. Poniéndose en pie y señalando un lateral con energía.)* —¡Encarceladlo, hermanos! El mundo entero del progreso deberá escarmentar en ese frailecillo.

(Todos salen de sus puestos y se abalanzan sobre el fraile. Le increpan. Le zarandean. Le dan puñadas. Se oye la música concreta que ya hemos oído. A sus compases, arrastran fuera a Fray Juan sus hermanos. Estamos ante el triunfo de los contrarreformadores. La escena se oscurece bruscamente. Se iluminan las siluetas de los frailes cronistas.)

CRONISTA 2.º —Y fue encarcelado...
CRONISTA 1.º —¡Y ayunó!
CRONISTA 2.º —¡Y fué disciplinado!
CRONISTA 1.º —¡Disciplina, disciplina!
CRONISTA 2.º —¡Horrorosa pantomina!

CRONISTA 1.º —¡Los viernes eran días de gran fiesta! Al ayuno y a los insultos de todos, congregados en el refectorio..., añadían el placer sublime de la tortura...
CRONISTA 2.º —Le ordenaban desnudar sus espaldas...

(Vuelve a iluminarse la escena. Los frailes, sentados a las mesas, están terminando de comer. En el suelo, de rodillas, en el mismo punto del escenario donde permaneció durante el juicio, Fray Juan; come un pedazo de pan y bebe agua de una escudilla. En la mesa presidencial no está el Visitador. Sólo el Anciano y el Prior.)

CRONISTAS 1.º y 2.º —Y toman las disciplinas...
CRONISTA 2.º. —¿Se van a disciplinar?
CRONISTA 1.º. —¿Van a dar ejemplo de mortificación al revoltoso?
CRONISTA 2.º —¡No! ¡Van a cruzarle la espalda a latigazos!
CRONISTA 1.º —¡Así era la disciplina circular!
CRONISTA 2.º —¡Santo Dios! ¡La disciplina!
CRONISTA 1.º —¡La disciplina, sí!
CRONISTA 2.º —Disciplina...
CRONISTA 1.º —¡Regular y secular!
CRONISTA 2.º —Disciplina...
CRONISTA 1.º —¡Jerárquica!
CRONISTA 2.º —Disciplina...
CRONISTA 1.º —¡Circular!
CRONISTA 2.º —Disciplina...
CRONISTA 1.º —¡Amén!

(Los dos frailes se sientan. Se apaga la luz que los iluminaba. Los frailes del refectorio van poniéndose en pie y, tomando cada uno unas disciplinas, van a colocarse en círculo alrededor de Fray Juan. Fuera se oyen cánticos conventuales.)

PRIOR. *(Colocándose también en el círculo, con sus disciplinas.)* —¡Después de haber recibido el confortador alimento del cuerpo, demos al cuerpo el castigo que merece! ¡Hermanos, hoy es viernes! ¡Hoy debemos aplicar nuestra disciplina circular! ¡Desnuda tus espaldas!

(Fray Juan, mansamente, desnuda sus espaldas. Fuera, el cántico inicia, en latín, los compases de un Miserere. Deberá elegirse, entre todas las músicas compuestas para entonar el Miserere, (*) aquella

*1. Miserere mei, Deus, secundum magnam misericordiam tuam.
2. Et secundum multitudinem miserationum tuarum, dele iniquitatem meam.
3. Amplius lava me ab iniquitate mea: et a peccato meo munda me.
4. Quoniam iniquitatem meam ego cognosco: et peccatum meum contra me est semper.
5. Tibi soli peccavi, et malum coram te feci: ut justificeris in sermonibus tuis, et vincas cum judicaris.
6. Ecce enim in iniquitatibus conceptus sum: in peccatis concepit me mater mea.
7. Ecce enim veritatem dilesixti: incerta et occulta sapientiae tuae manifestasti mihi.
8. Asperges me hyssopo et mundabor: lavabis me, et super nivem dealbabor.
9. Auditui meo dabis gaudium et laetitam: et exultabunt ossa humiliata.
10. Averte faciem tuam a peccatis meis: et omnes iniquitates meas dele.
11. Cor mundum crea in me, Deus: et spiritum rectum innova in visceribus meis.
12. Ne projicias me a facie tua: et spiritum sanctum tuum ne auferas a me.
13. Redde mihi laetitiam salutaris tui: et spiritu principali confirma me.
14. Docebo iniquois vias tuas: et impii ad te convertentur.
15. Libera me de sanguinibus, Deus, Deus salutis meae: et exultabit lingua mea justitiam tuam.
16. Domine, labia mea aperies: et os meum annuntiabit laudem tuam.
17. Quoniam si voluisses sacrificium, dedisem utique: holocaustis non delectaberis.
18. Sacrificium Deo spiritus contribulatus: cor contritum, et humimiliatum, Deus, non despicies.
19. Benigne fac, Domine, in bona voluntate tua Sion: ut aedificentur muri Jerusalem.
20. Tunc acceptabis sacrificium justitiae, oblationes et holocausta: tunc imponent super altare tuum vitulos.
21. Requiem aeternam,
22. An. Exultabunt Domino ossa humiliata.

que tenga un sentido más dramático. Mientras fuera de escena oímos este Miserere, que entonan, a media voz, voces muy varoniles, comienza el acto en la escena.)

PRIOR. —Antífona: se alborozarán, los huesos que tú has quebrantado.

(Atiza un golpe con su disciplina sobre la espalda del santo. A partir de este momento, todos los frailes repetirán el juego. Dirán su frase y descargarán el latigazo en las espaldas del frailecito. Cada vez con más fuerza. Luego avanzarán, siempre en círculo, para dejar lugar al que venga detrás.)

UN FRAILE. –Ten piedad de mí, oh Dios, conforme a tu gran clemencia.
OTRO. –Según la multitud de tus ternuras, borra mis transgresiones.
OTRO. –¡Lávame cabalmente de mi culpa, y de mi pecado purifícame!
OTRO. –¡Porque reconozco mis crímenes y mis pecados, purifícame!
OTRO. –Solo contra ti he pecado; he hecho lo que es malo a tus ojos, de suerte que quedes justificado en tus fallos y sin tacha en tus sentencias. *(El fraile que dice este verso atiza dos latigazos.)*
PRIOR. —Un solo latigazo, oídme bien. ¡Un solo latigazo aunque el verso sea muy largo!
OTRO. —¡Mira que fui engendrado en la iniquidad y en pecado me concibió mi madre!
OTRO. —¡Mira que amas la verdad en el secreto de los corazones; en lo más íntimo del alma me enseñas la sabiduría!
OTRO. —Purifícame con el hisopo y seré limpio; lávame y seré más blanco que la nieve.
OTRO. —¡Lléname de gozo y de alegría y alborócense los huesos que tú has quebrantado!
OTRO. —Aparta tu semblante de mis pecados y borra todas mis iniquidades.

OTRO. —Crea en mí, oh Dios mío, un corazón limpio y renueva en mi interior un espíritu firme.

OTRO. —No me arrojes de tu presencia, no retires de mí tu santo espíritu.

OTRO. —Tórname la alegría de tu salvación y sostenme con generoso espíritu.

OTRO. —Enseñaré tu camino a los transgresores y volverán a ti los pecadores.

OTRO. —Líbrame, oh Dios, Dios de mi salvación, de la sangre derramada y mi lengua aclamará a tu justicia.

OTRO. —Abre, Señor, mis labios y mi boca anunciará tu alabanza.

OTRO. —Porque no te complaces en sacrificios; si te ofrezco un holocausto, no lo has de aceptar.

OTRO. —El sacrificio para Dios es el espíritu contrito; un corazón contrito y humillado, oh Dios, no lo desprecies.

OTRO. —Favorece, Señor, en tu bondad a Sión; vuelve a edificar los muros de Jerusalén.

OTRO. —Entonces aceptarás justos sacrificios, los holocaustos y las ofrendas; entonces se ofrecerán novillos sobre tu altar.

OTRO. —Dales, Señor.

TODOS. —¡Se alborozarán, Señor, los huesos que tú has quebrantado!

(Los frailes quedan en silencio, agotados por el esfuerzo. El medio fraile, caido, hecho un ovillo, está inmóvil.)

PRIOR. —Hermanos, cumplida nuestra obligación, pasemos a meditar.

(Una música, alegre, tal vez un Gloria, se oye como fondo. Mientras, los frailes van saliendo en orden, con las manos cruzadas sobre el vientre, beatíficamente. La iluminación de la escena desciende; sólo un foco ilumina la silueta del fraile Juan, hecho un ovillo de dolor y de amor. Se iluminan los plintos.)

CRONISTA 2.º —Y así pasó meses y meses...

CRONISTA 1.º —Corrían otros tiempos.
CRONISTA 2.º —Pero el fraile, rebelde, invencible, triunfante, escribía en su celda su cántico espiritual.
CRONISTA 1.º —Y un día escapó, descolgándose por una ventana.
CRONISTA 2.º —Y llevó a cabo la reforma.

(El fraile se levanta poco a poco. El Gloria se oye ahora más próximo. El medio fraile alza la vista al cielo; su voz, grabada en cinta magnetofónica, llena la sala, mientras repite este texto:)

VOZ DE FRAY JUAN. —¿A dónde te escondiste,
Amado, y me dejaste con gemido?
Como el ciervo huíste;
habiéndome herido,
salí tras ti clamando, y eras ido.
Pastores, los que fuéredes
allá por las majadas al otero,
si por ventura viéredes
a aquel que yo más quiero,
decidle que adolezco, peno y muero.

(La estrofa que sigue deberá decirla con más energía, con menos suavidad.)

Buscando mis amores
iré por esos montes y riberas;
ni cogeré las flores,
ni temeré las fieras
y pasaré los fuertes y fronteras.

(El frailecito sonríe. Cae de rodillas y queda en íntima actitud de rezo.)

CRONISTA 1.º —Triunfó.
CRONISTA 2.º —¡Triunfó la reforma!
CRONISTA 1.º —¡Creció y fue grande como la mies!
CRONISTA 2.º —¡Creció más alto que la torre de Babel!
CRONISTA 1.º —¡Eran tiempos de errores!

CRONISTA 2.º —¡Tiempos que debemos olvidar!
CRONISTA 1.º —¡Y perdonar!
LOS DOS. —¡Amén!

Oscurece totalmente la escena. Muy rápido cae el...

TELON

BIBLIOTECA HISPÁNICA
TÍTULOS PUBLICADOS

1. *Gustavo Adolfo Bécquer:* RIMAS Y LEYENDAS.
Edición de *Carmen Ruiz Barrionuevo,* Universidad de Salamanca. 195 páginas (Agotado).
2. *Mariano José de Larra:* ARTÍCULOS POLÍTICOS.
Edición de *Ricardo Navas Ruiz,* Universidad de Massachusetts. 434 páginas.
3. *Miguel de Unamuno:* CRÓNICA POLÍTICA ESPAÑOLA. (Artículos desconocidos, 1915-1923).
Edición de *Vicente González,* Universidad de Salamanca. 428 páginas.
4. *Garcilaso de la Vega:* POESÍAS COMPLETAS.
Edición de *Bernardo Gicovate,* Universidad de Stanford (USA). 232 páginas.
5. *Tirso de Molina:* EL BURLADOR DE SEVILLA.
Edición de *Everett W. Hesse,* Universidad de San Diego State, y *Gerard E. Wade,* Vanderbilt University. 176 páginas.
6. *Calderón de la Barca:* LA VIDA ES SUEÑO.
Edición de *Everett W. Hesse,* Universidad de San Diego State. 232 páginas.
7. *Miguel de Unamuno:* SAN MANUEL BUENO MÁRTIR y TRES HISTORIAS MÁS.
Edición de *Francisco Fernández Turienzo,* Universidad de Massachusetts. 280 páginas (Agotado).
8. *Fray Luis de León:* POESÍAS.
Edición de Francisco Garrote Pérez. Universidad de Salamanca. 252 páginas (2.ª edición).
9. *Federico García Lorca:* LA ZAPATERA PRODIGIOSA.
Edición de *Joaquín Forradellas,* Instituto «Peñaflorida» de San Sebastián. 268 páginas.

10. *Ramón J. Sender:* CONTRAATAQUE.
Edición de *Ramón J. Sender.* 400 páginas.
11. *Miguel de Unamuno:* REPÚBLICA ESPAÑOLA Y ESPAÑA REPUBLICANA.
Edición de *Vicente González,* Universidad de Salamanca.
456 páginas.
12. *Calderón de la Barca:* CÉFALO Y POCRIS.
Edición de *Alberto Navarro González,* Universidad de Salamanca.
156 páginas.
13. *Benito Pérez Galdós:* HALMA.
Edición de *José Luis Mora,* Escuela Universitaria de Segovia.
358 páginas.
14. *Enrique Díez-Canedo:* ANTOLOGÍA POÉTICA.
Edición de *José Fernández Gutiérrez,* Escuela Universitaria de Tarragona. 160 páginas.
15. *Francisco de Quevedo:* EL BUSCÓN.
Edición de *Alan Francis,* Universidad de Massachusetts.
216 páginas.
16. *García de la Huerta, Cadalso, Cienfuegos y Quintana:* RAQUEL, DON SANCHO GARCÍA, IDOMEO y PELAYO (4 tragedias neoclásicas).
Edición de *Jerry Johnson.* 364 páginas.
17. INTELECTUALES ANTE LA SEGUNDA REPÚBLICA ESPAÑOLA.
Edición de *Víctor M. Arbeloa y Miguel de Santiago.* 325 páginas.
18. *Benito Pérez Galdós:* LA DE SAN QUINTÍN y ALMA Y VIDA.
Edición de *Isaac Rubio,* British Columbia University. 266 páginas.
19. *Gregorio González:* EL GUITÓN ONOFRE.
Edición de *Fernando Cabo,* Universidad de Santiago de Compostela. 328 páginas.
20. *Pedro Antonio de Alarcón:* EL SOMBRERO DE TRES PICOS.
Edición de *Ángel Basanta,* Instituto «Rey Pastor» de Madrid.
176 páginas.
21. ANTOLOGÍA DE LA LÍRICA MEDIEVAL CASTELLANA.
Edición de *Ciriaco Morón Arroyo,* Universidad de Cornell.
252 páginas.
22. *Sor Juana Inés de la Cruz:* ANTOLOGÍA POÉTICA.
Edición de *F. Javier Cevallos,* Universidad de Massachusetts.
166 páginas.

23. *Lope de Vega.* FUENTEOVEJUNA.
    Edición de *Francisco Ruiz Ramón,* Vanderbilt University.
    192 páginas.
24. NARRACIONES CORTAS DE LA AMÉRICA COLONIAL.
    Edición de *F. Javier Cevallos,* Universidad de Massachusetts.
    244 páginas.
25. *Gustavo Adolfo Bécquer.* LEYENDAS.
    Edición de *Eduardo Alonso,* Universidad de Valencia. 304 páginas.
26. *Lope de Vega.* EL CABALLERO DE OLMEDO.
    Edición de *Alfredo Hermenegildo,* Universidad de Montreal.
    192 páginas.
27. *Miguel de Unamuno:* EL OTRO.
    Edición de *Ricardo de la Fuente,* Universidad de Valladolid.
    152 páginas.
28. ANTOLOGÍA DE LA PROSA MEDIEVAL CASTELLANA.
    Edición de *Cristina González,* Universidad de Massachusetts.
    186 páginas.
29. POETAS ESPAÑOLES DE LOS CINCUENTA. ESTUDIO Y ANTOLOGÍA.
    Edición de *Ángel Luis Prieto de Paula,* Universidad de Alicante.
    340 páginas.
30. EL LAZARILLO DE TORMES.
    Edición de *Florencio Sevilla Arroyo,* Universidad Autónoma de Madrid. 232 páginas.
31. *Pablo Neruda:* VEINTE POEMAS DE AMOR Y UNA CANCIÓN DESESPERADA.
    Edición de *Gabriele Morelli.,* Universidad de Bergamo.
    160 páginas.
32. *Gil Vicente:* TRAGICOMEDIA DE DON DUARDOS.
    Edición de *Armando López Castro,* Universidad de León.
    244 páginas.
33. *Carlos Muñiz:* EL TINTERO y MISERERE PARA MEDIO FRAILE.
    Edición de *María Luisa Burguera Nadal,* Universidad «Jaime I» de Castellón.